JN120921

歯根に付着した歯肉溝内歯垢　　部分拡大

p.95
歯周病原菌群

レッドコンプレックス

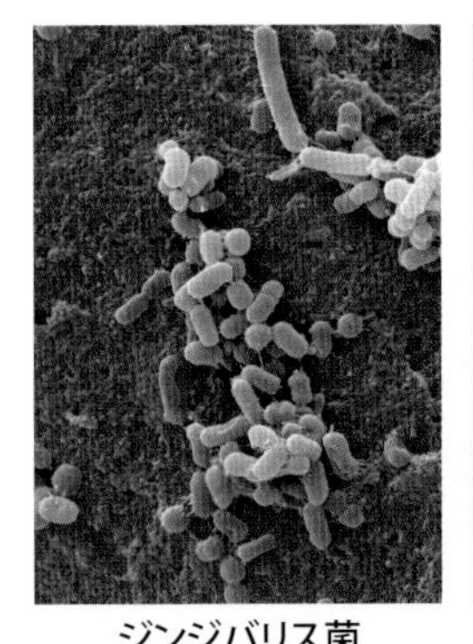

ジンジバリス菌

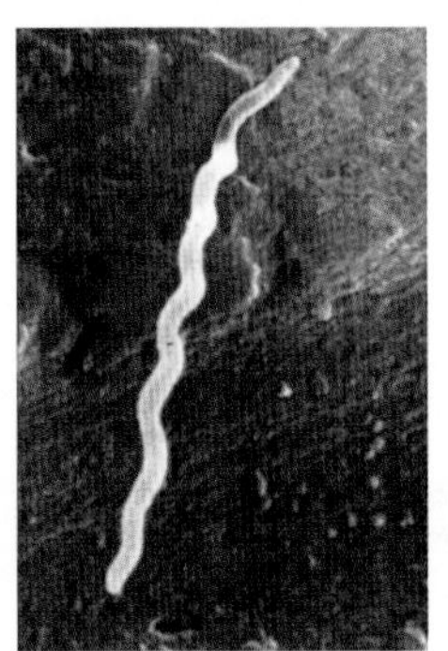

トレポネーマ菌

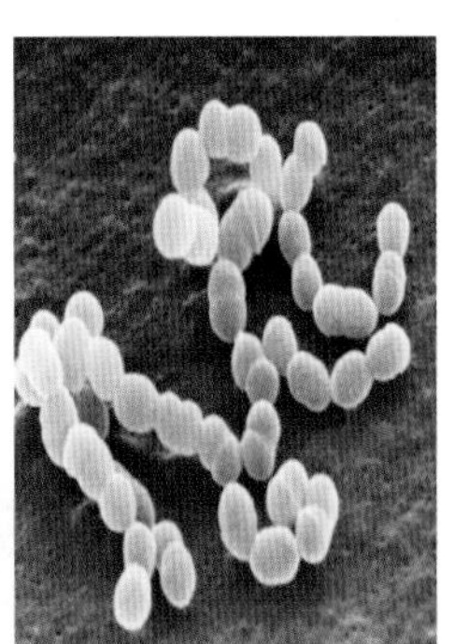

タンネレラ菌

オレンジコンプレックス

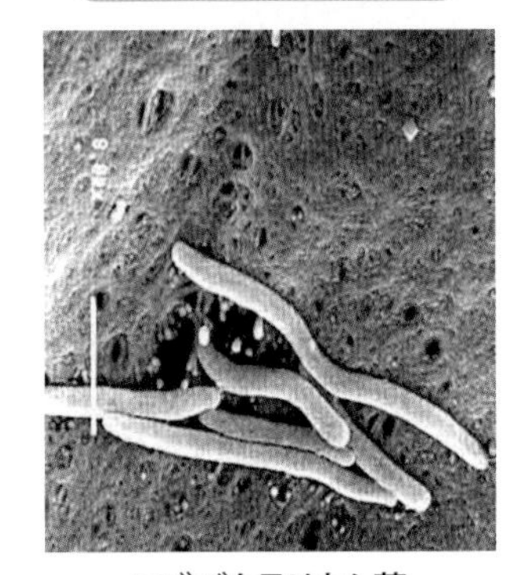

フゾバクテリウム菌

グリーンコンプレックス

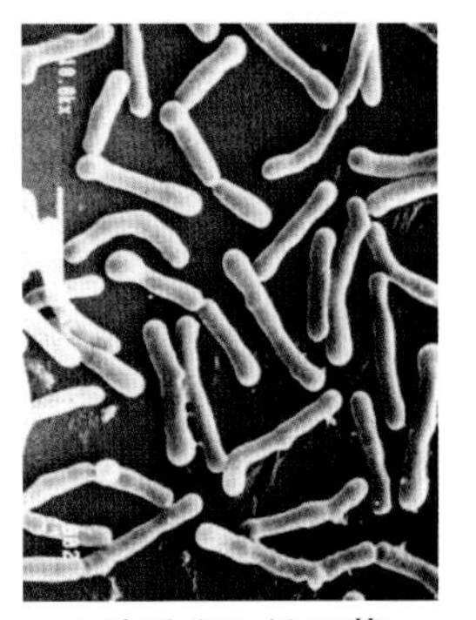

アクチノマイセス菌

歯周病患者の口腔　症例

健康な口腔

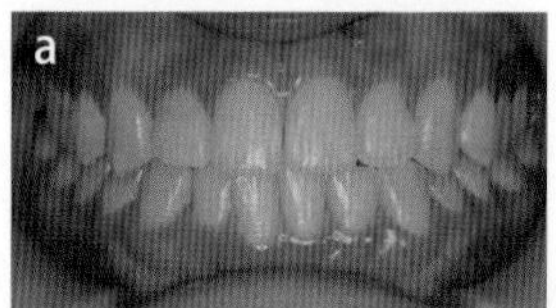

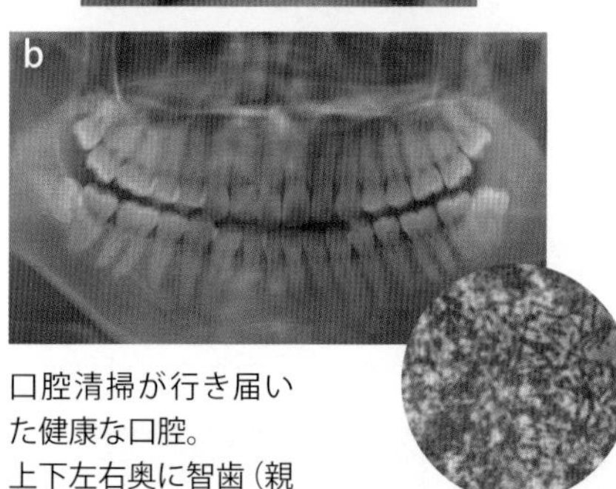

口腔清掃が行き届いた健康な口腔。
上下左右奥に智歯（親知らず）がみられる。
（24 歳女性）

健康歯肉溝内歯垢にはさまざまな菌種が多数見られる。

歯肉炎

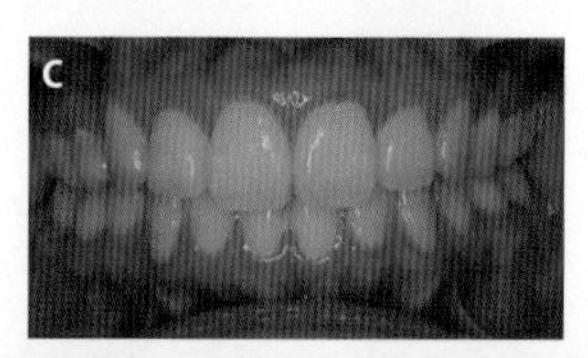

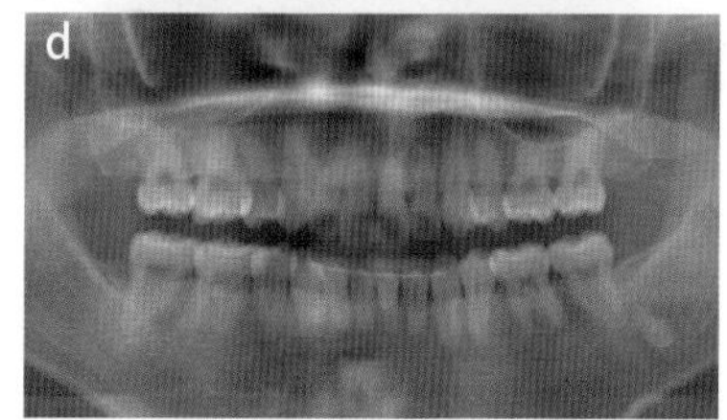

矯正治療により歯並びはきれいになったが、下顎前歯に軽度の歯肉炎がみられる。歯槽骨の吸収はみられない。（34 歳女性）

軽度歯周炎

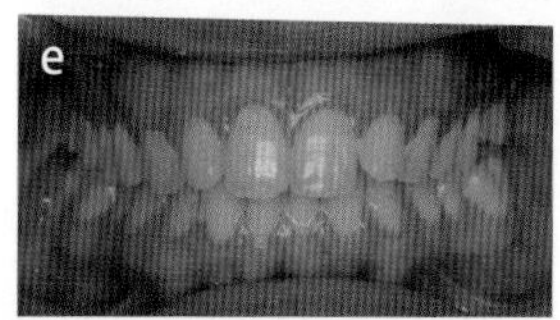

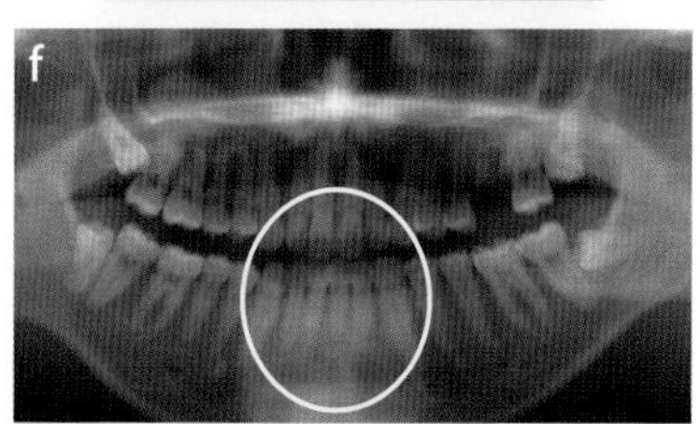

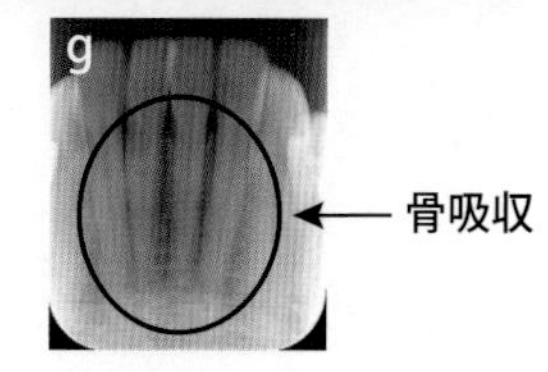

歯肉に軽度の炎症がみられる。下顎の前歯に僅かな骨吸収像がみられる。
（30 歳男性）

中程度歯周炎

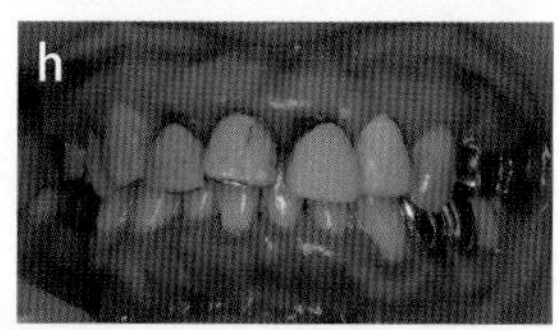

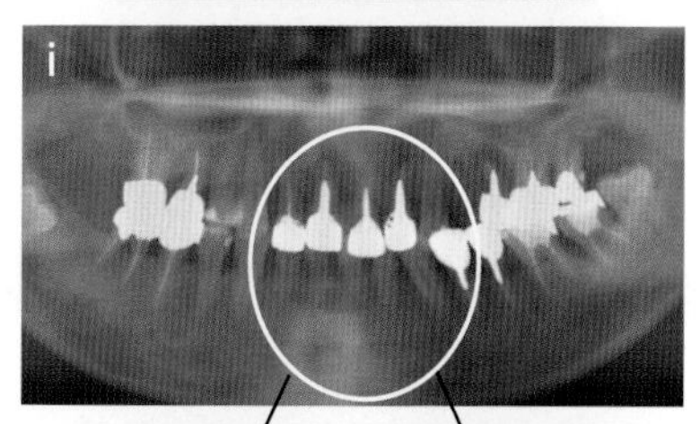

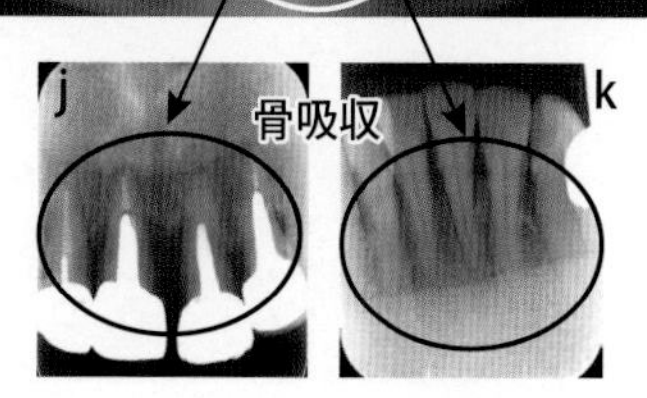

前歯のくいしばりもあり、歯周炎をさらに悪化させ、骨吸収が進んでいる。
（55 歳女性）

重度歯周炎

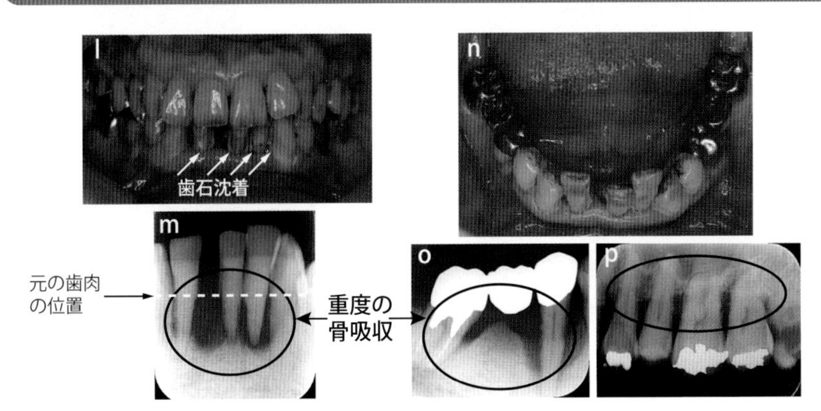

不十分な口腔清掃によりう蝕を発症し治療を行ったものの、その後も十分な口腔ケアが行われていない。その結果、下顎前歯に歯石沈着がみられ、全顎にわたり重度の炎症と骨吸収がみられる。（61 歳男性）

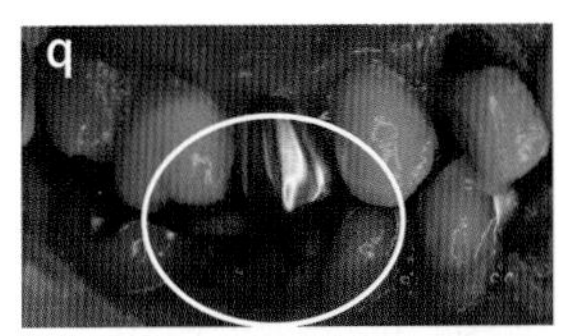

右上下に重度のう蝕と歯周炎を発症した例。右下の奥歯はう蝕により歯冠部がなくなりブラッシングのたびに出血し、一過性の菌血症が続いている。全身に影響を及ぼす可能性が大きい。（45 歳男性）

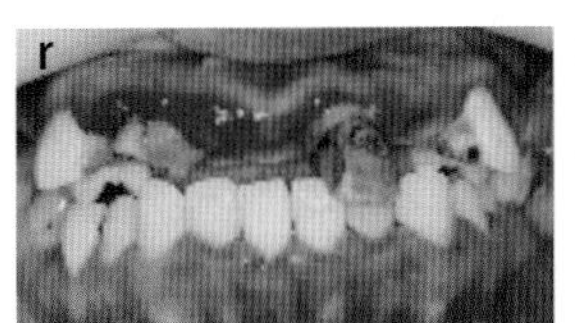

重度のう蝕と歯周炎を発症した例。要介護状態で口腔ケアが不十分であった。（75 歳女性）

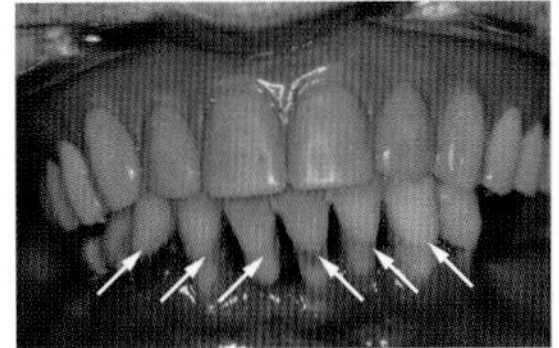

重症の歯周病。喫煙者。上顎は入れ歯。下顎は骨吸収が進行。歯根が露出している。矢印が元の歯肉の位置。（60 歳女性）

p.30 歯垢、歯石の蓄積

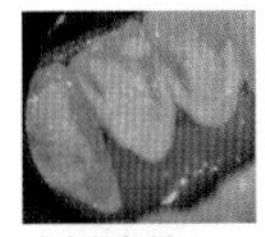

歯垢沈着

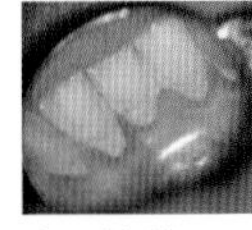

歯石沈着

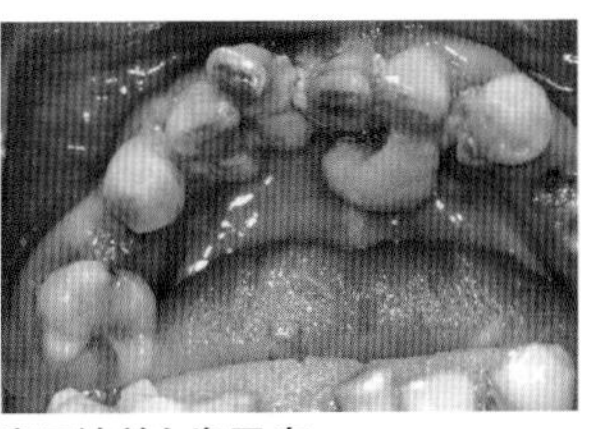

歯石沈着と歯周病

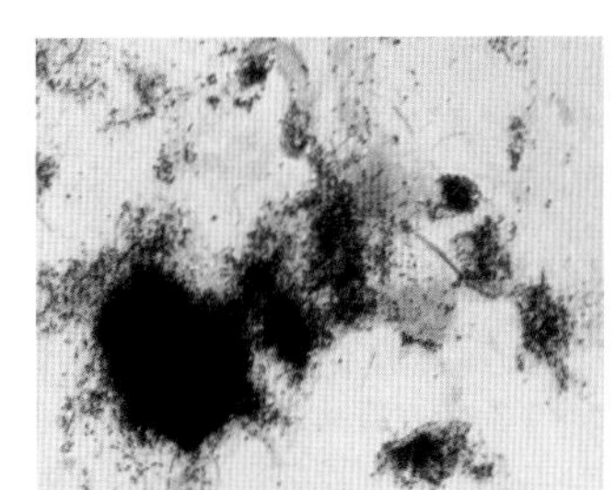

歯垢のグラム染色

p.117

動脈硬化内壁からジンジバリス菌を検出

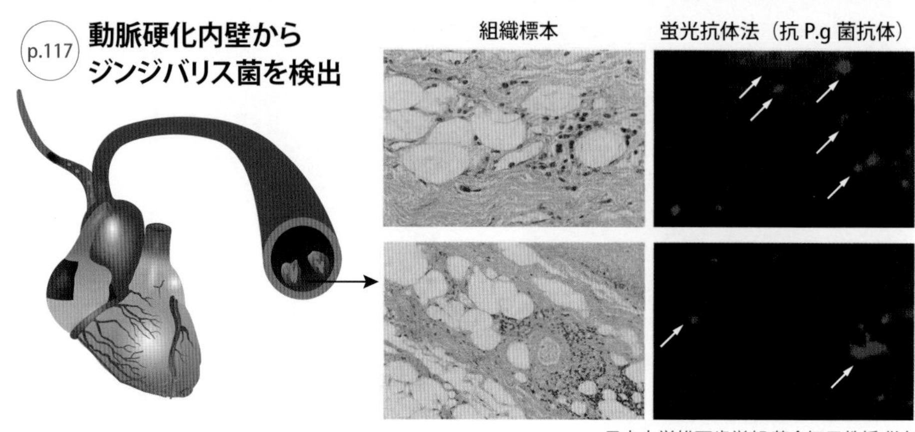

日本大学松戸歯学部 落合智子教授 供与

p.127

口腔細菌のインフルエンザウイルス感染促進効果

ジンジバリス菌の感染促進効果

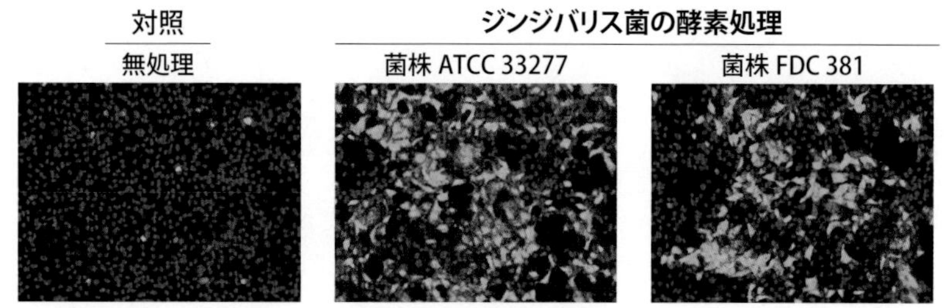

ジンジバリス菌の培養上清（酵素）でウイルスを処理し、ウイルス感染細胞を蛍光抗体法により検出。ウイルス感染細胞が著しく増加している。
青：使用した細胞の核を染色、緑：ウイルスが感染した細胞

ノイラミニダーゼ産生歯垢レンサ球菌の感染促進効果

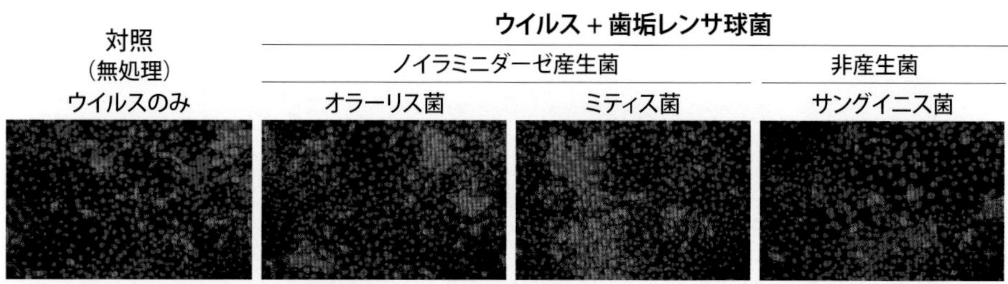

歯垢レンサ球菌の培養上清（酵素）でウイルス感染細胞を処理し、ウイルス感染細胞を蛍光抗体法により検出。ウイルス感染細胞が著しく増加している。
青：使用した細胞の核を染色、赤：ウイルスが感染した細胞

人は
口から老い
口で逝く

認知症も肺炎も口腔から

日本大学 歯学部 特任教授

落合 邦康

日本プランニングセンター

推薦の言葉
「人は口から老い口で逝く」刊行にあたって

落合邦康博士（日本大学特任教授）は若くして米国アラバマ大学にてShiota教授の下で細菌学の基礎を身に着けた。その後、日本大学松戸歯学部、明海大学、日本大学歯学部で教育・研究に従事され、多くの研究業績を発表し、さまざまな学会から高い評価を得ている。最近、その成果はマスコミにも注目されてきた。

彼が、口腔疾患等についての一般向け啓蒙書を世に問うことを知り、原稿を見せてもらった。大変面白く一気に読み終えた。内容が充実した素晴らしい著作である。読みやすい、最近の研究成果も十分に組み込んである。私自身、すでに定年後20年以上を経ており、最近の新しい知見を補うことができた。

著者は、これは一般人に向けたものといっているが、この著作はぜひとも歯科学生、歯科衛生士学生にも読ませたい。そして、歯科医療関係者は勿論、広く保健・医療に関わる多くの人々にも読んでほしいと願うものである。感染症としての口腔疾患についての彼の考え方を貫いた新しい時代を志向する著作であり、責任をもって推薦するものである。

森本 基　日本大学名誉教授
一般財団　日本口腔保健協会理事長
日本口腔衛生学会名誉会員
日本公衆衛生学会名誉会員

はじめに

宇宙には無限の星の世界が広がり、地球には人間の世界がある。
そして、ヒトの体には微生物の宇宙が広がっている。
一握りの土や一滴の川の流れの中には数えきれない微生物が存在し、
その微生物が作り上げた世界の中でわれわれは生きている。

体内や生活環境の微生物の存在を意識して生活している人は、まず、いないと思います。歯科大学で微生物の研究と学生教育に携わり約半世紀。かくいう自分も、以前は身近な微生物の存在をほとんど意識していませんでした。しかし、要介護者を見る機会が増え、また、加齢と共に自分自身の体にも以前にはない変化がおこっていることに気づき、寿命や健康に対して深く考えるようになりました。そんなことから、加齢に伴う免疫力の変化と常在菌との関係を意識せずにはいられなくなりました。微生物学や免疫学のわずかな知識を元にこれらの変化を考えると、あらためて、何事もなくあたりまえに過ごす健康な毎日のその裏に、なんと多くの events がおこっているのかを再認識し、驚かずにはいられません。ヒトは、生活環境や体内で微生物が作り上げた世界の中で免疫システムに支えられ、生かされています。このことを一人でも多くの方々に知っていただきたい、そして、健康で寿命を全うするということはどういうことか考えていただきたいと思いました。そんな考えから、常在菌、特に口腔や腸管の常在菌と生体との関わりをわかりやすく本書にまとめてみました。

われわれは今、百年に一度はおこるとされるパンデミックに遭遇し､新型コロナウイルスに世界中が翻弄されています。しかし、歴史を振り返れば何のことはない、愚かな戦争よりはるかに多くの人が感染症で亡くなっています。単に感染症を恐れるのではなく､何より感染症とその背景を理解していただきたいと思います。新型コロナウイルス感染でさえ 8 割の人は無症状で生活しています。これは、微生物環境の中で生き続けるために哺乳類が進化の過程で獲得した「免疫」のおかげなのです。しかし、この生体防御能力は、加齢と共に確実に低下します。したがって、新型コロナウイルス感染で重症化し亡くなるのは高齢者です。感染症に対して高齢者はどのように対処していけばいいのでしょうか？

本邦では新型コロナウイルスによる死亡率は数％ですが、感染症全体を考えると、90% 以上の死亡率を示す感染症があります。なんだと思いますか？それは､高齢者の誤嚥性肺炎や敗血症です。その原因菌が口やのどにいる常在菌で、多くの死亡原因は内因性感染症なのです。医療先進国の日本では、コレラや赤痢など外因性感染症はそれほど恐れる必要はありません。う蝕や歯周病は内因性感染症の代表的疾患です。直接、そして短期間に命に関わる感染症ではないため「たかがむし歯くらい、歯周病ぐらい」と思われがちです。健康な時、常在菌はわれわれにはなくてはならない良きパートナーです。しかし、われわれの免疫力が低下して感染症に勝てなくなったころを見計らって、ゆっくり時間をかけて命を脅かします。常在菌はそんな一面も持っているのです。人生を一緒に生活してきた口腔の細菌が、将来みなさんの命を奪いに行きます。つまり、「寿命とは常在菌と共存できる期間」といえると思います。

両親からもらったこの命が、両親から受け渡された口腔の常在菌で終わる。何とも、不思議なめぐりあわせだと思いませんか？そして、すでにあなたも、あなたのお子さんもこの常在菌と命のサイクルの中に組み込まれているのです。ぜひ、本書を通してこの現実を理解していただきたいと思います。

このように話しても、なかなか実感として理解できないかもしれません。口腔の重要性をより身近な現実として理解していただくためには、がんの患者さんの治療体験を読まれるといいと思います。抗がん剤や放射線療法は、がん細胞を破壊すると同時に“治療”によって人為的な免疫抑制状態がおこります。免疫力が低下すると、糞便以上に密度が高く、多くの細菌がいる口腔に最初の症状が現れます。唾液が出なくなり、口腔内に炎症がおこり痛みを伴うためものを食べることが困難になります。がん治療でおこることと似た現象が、加齢により免疫力の低下した高齢者の口腔内でおこります。常在菌と生体の免疫の「侵略と防御のバランス」の変化が最もわかりやすい部位、それが口腔です。それを「ヒトは口から老い、口で逝く」と表現しています。

この本を読んでいただいて健康でいることの大切さ、口からものが食べられる幸を実感していただきたいと思います。そして、「常在菌と共存することの意味」を考えてください。今からでも遅くありません、ぜひ口腔ケアをしてください。そして何よりも大切なことは、それを毎日続けることです。継続すれば間違いなく、「健康長寿」を手にすることができます。口を見れば「その人の生き方がわかる。人生がわかる。そして、教養がわかる」そう思います。自分を大切にしようとするなら、まず、口を大切にすることです。ヒトは口で生きているのです。

この本を通して、一般の方々はもちろん、歯科医療従事者、医師や医療従事者の方々が口腔の重要性をより理解する一助になれば、幸甚です。

日本大学歯学部 特任教授　落合 邦康

目次

第６章　歯周病と全身疾患 ―口は災いのもと―

第1章
感染するとはどういうことか

第1章

感染するとはどういうことか

1. 微生物の世界にようこそ

―ヒトは生物界の新参者―

ヒトは誕生と同時に、地球上の生物としては大先輩の微生物が作り上げた世界に生きていくことになります。

誕生と共に体に住み着いた細菌のうち常に同じ部位から検出される細菌を**常在細菌**といい、それらの細菌が作る集団を**常在細菌叢**(そう)（ノーマルフローラ）といいます。腸内細菌研究者が腸内の細菌叢の顕微鏡像を画像解析し細菌ごとに色分けしてみたら、あたかも花畑のように美しく見えました。それ以降、細菌叢を別名フローラ（花畑）ということが多くなりました。体のそれぞれの部位には、成長と共にその部位に適した細菌叢が徐々に形成されていきます。つまり、口腔には口腔の、腸管には腸管固有の特徴ある常在細菌叢が形成されます。それぞれの細菌叢を構成する細菌の種類は、おおむね一定ですが、年齢、環境、食物などの影響を受け少しずつ変化します。ヒトの場合、細菌叢構成菌が大きく変化することが３回あります。まず、出産から乳幼児期に最初の細菌叢ができあがります。続いて、成長と共に近親者から細菌をもらうことになります。したがって、家族内での常在細菌叢の細菌種類はとてもよく似ています。次に変化するのが結婚です（**図1**）。あなたも、あなたの細菌叢を子供さんに移していくのです。このようにして常在菌は、人類の歴史と共に何世紀にもわたり生きのこってきた細菌集団なのです。

口腔の細菌叢はどのように変わると思いますか？大きく次のように変化していきます。まず、出産、乳歯の萌出、永久歯列の完成、そして、無歯顎（むしがく）になると歯の萌出前に戻り、入れ歯を入れると永久歯列の細菌叢に戻ります。

ヒトは、このようにしてできあがった口腔の常在菌と生涯共生することになります。その細菌叢は、ある時は良きパートナーとして体を守ってくれますが、時として感染症の原因にもなります。本書で知っていただきたいことは、人生の終末期において、生涯生活を共に生きてきた細菌によって命をなくす可能性が高いということです。特に、口腔細菌について理解していただくと、その理由がよくわかります。**「ヒトは口から老い、口で逝く」**という本当の意味を理解していただけると思います。

図1　ライフステージによって細菌叢構成菌が変化

2. 感染するとはどういうことか
―知ってますか？ 細菌のこと―

1）感染と発症

日常生活の中でヒトが普通以上の数の微生物に遭遇することを**暴露**（ばくろ）といいます。その中から特定の微生物が体に付着、侵入することが**感染**です（**図2**）。感染後、微生物の病原性が生体の防御力より勝り、何らかの病的な症状が出ることを**発症**といいます。一般的には「感染＝発症」と考えられているようですが、今回の新型コロナウイルス感染でもおわかりのように、感染と発症は**全く違うステージ**のものなのです。

感染症は大きく２つに分けることができます。常在菌によっておこる感染症を**内因性感染症**といい、常在菌以外の細菌によっておこるものを**外因性感染症**といいます。みなさんが一般的に考えておられる感染の大部分は外因性感染症です。疾患の原因となる微生物には、ウイルス、細菌、カビなど多くの種類がありますが、本書では細菌を中心にお話しさせていただきます。

微生物が生体内に侵入する経路や部位は微生物によって決まっており、**侵入門戸**（しんにゅうもんこ）といいます。感染後、症状が出るまでの期間を**潜伏期**といい、感染する微生物によってその期間は大体決まっています。黄色ブドウ球菌の食中毒では約４～６時間、コレラ菌は数時間～４日程度です。インフルエンザウイルスでは感染後約２～３日、またAIDSの原因ウイルスHIVでは約８年位かかります。なぜこのような差がでるのでしょうか？

図2　感染と発症

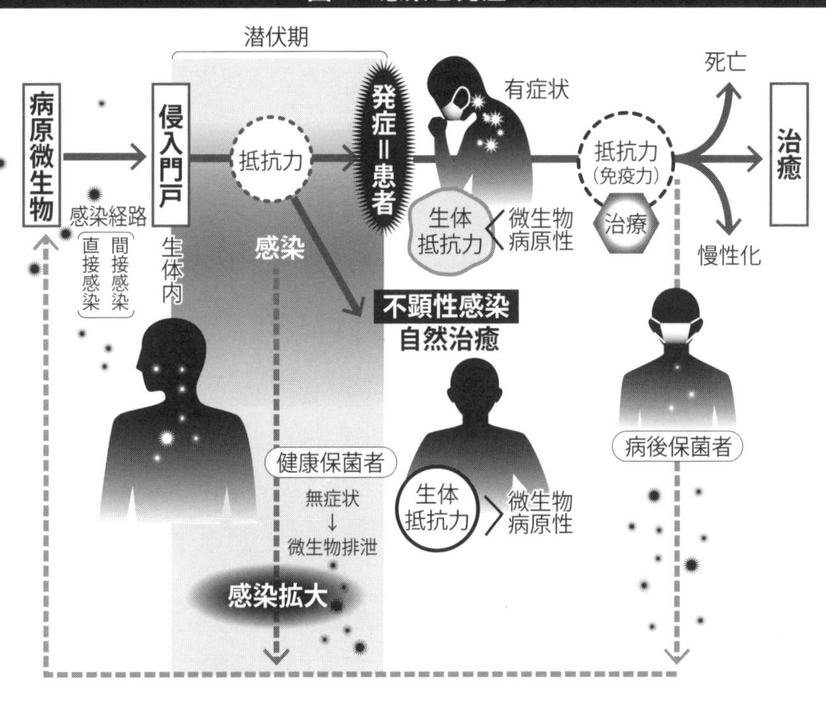

この現象を微生物の病原性だけで考えることはできません。必ず宿主の抵抗力、つまり**免疫力**を考える必要があります（**図3**）。自分の学生時代、微生物学の授業では「この菌は病原性です、この菌は非病原性です」と断言して説明されました。感染症が発症するためには、まず、感染する側の微生物を“総合力”で考える必要があります。病原性の強い微生物は少数で、弱い微生物は大量に感染しないと発症しません。O-157で知られる腸管出血性大腸菌は大腸菌の顔をした赤痢菌で、赤痢菌の毒素を作る遺伝子が入り込んでいます。非常に病原性が強く数10個の細菌数で発症しますが、コレラ菌は数万から数10万個感染しないと発症し

ません。また、成人の場合はO-157に感染しても必ずしも発症するとは限りません。なぜでしょう、それは生体側の**感受性と抵抗力**（**免疫力**）が異なるからです。微生物の総合力が宿主のそれより勝った場合、初めて**発症**します。それ以外の場合は症状が出ないまま感染は終息します。これを**不顕性感染**（ふけんせいかんせん）といいます（**図2**）。**新型コロナウイルス**（**COVID-19**）感染でおわかりのように、毎日発表される感染者数と症状が出て入院される人の数は違っています。われわれの体では日常的にこの不顕性感染が繰り返されています。微生物は常に体に侵入していますが、生れながらに備わっている**自然免疫**（第4章, 3.）という体の抵抗力により排除して

図3　感染するとはどういうことか

宿主側の因子

① 感受性（年齢、性、人種他）
② 生体の防御力（＝免疫力）
自然免疫
獲得免疫（適応免疫）

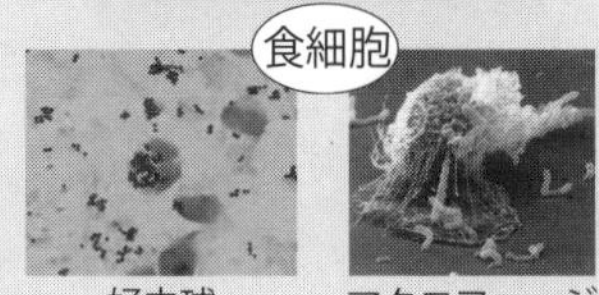

好中球　マクロファージ

VS

微生物側の因子

① 細菌数
② 付着、定着性
③ 毒素酸生性
④ 生体防御への抵抗性
⑤ 組織破壊性　など

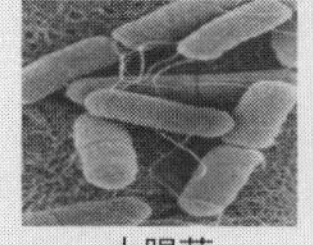
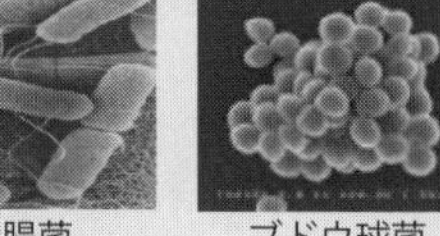

大腸菌　ブドウ球菌

発症の有無は宿主と微生物の力関係で決まる

宿主 ＞ 微生物　無症状（不顕性感染）で終息
宿主 ＝ 微生物　慢性化（長期化）
宿主 ＜ 微生物　発症

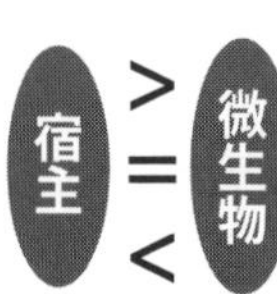

いるため**発症しない**のです。微生物側と宿主側の総合力が同じくらいであれば**慢性化**し、感染が長期にわたる可能性があります。一部のウイルスでは長期にわたり潜伏し、過労やストレスなどさまざまな理由で体力（抵抗力）が落ちた場合に発症します。そして、体力が回復するとまた症状が治まるといった例があります。しかし、ウイルスは終生体内に潜伏し続けます（**潜伏感染**）。ヘルペスウイルス[*1]などの感染症がこれにあたります。最近発表された研究報告では、驚いたことに、ヒトでは30種類近い病原性のウイルスが不顕性感染しているとのことです。さらに、胎盤などさまざまな臓器形成にも進化の過程で感染したウイルスの影響がみられるとのことです。何とも信じ難い話ですが、事実のようです。微生物は人生のみならず、ヒトの進化にも影響を及ぼしてきたのです。ひょっとするとCOVID-19も人類の進化に何らかの影響を及ぼすかもしれませんね。

＊1 ヘルペスウイルス

昆虫から哺乳類まで多くの生物に感染するDNAタイプのウイルスで約100種類ある。ヒトに感染するのは8種類でその代表的なものが単純ヘルペスウイルス（HSV）。非常に感染力が強く、痛みを伴う小さな水ぶくれが現れる。感染後に神経細胞内に遺伝子の形で生涯潜伏し続ける（潜伏感染）。ストレス、過労、紫外線、性行為、そしてがんや種々の原因による免疫力の低下により潜伏しているウイルスが増殖し、再発を繰り返すのが特徴。体の広範囲に感染するが、特に1型（HSV-1）は口唇ヘルペスや角膜炎など上半身、2型（HSV-2）は性器ヘルペスなど下半身に発症する。2型は1型より再発頻度が高い。老人に多発する帯状疱疹もこのウイルスによる。

感染症において宿主の免疫力はとても大きな意味を持ちます。常に組織内に侵入してくる常在菌を排除することにより維持できた共生関係が破綻し、発症するのが**内因性感染症**です。加齢と共にだれでも免疫力は低下します。また、糖尿病患者、がんの患者などさまざまな疾患によっても免疫力は低下します。免疫力が低下し、感染しやすい状態の宿主を**易感染性宿主**（いかんせんせいやどぬし）＊2といいます。健康な人では病原性を発揮しないようなありふれた微生物によって重症の感染症がおこり、時には生命に関わることがあります。高齢者は特に注意が必要です。

2）感染症を防ぐには

世界中を混乱させているCOVID-19感染症は外因性感染症です。外因性感染症は原因微生物が特定され、感染経路が判明すれば必ず防げます。しかし、内因性感染症は阻止することは困難です。高齢者で最も多い死亡原因の誤嚥性肺炎は代表的な内因性感染症で、口腔や咽頭にいる常在菌により発症します。では、常在菌が原因の内因性感染症を防ぐにはどうすればよいのでしょう？

＊2 易感染性宿主

基礎疾患や代謝障害などにより免疫力が低下し、通常では問題とならない弱病原性の微生物によっても感染をおこす状態になった宿主。がん患者、糖尿病、肝臓や腎臓疾患、HIV感染者、低栄養状態など。反復して感染症になることが多く、抗菌薬治療が多剤・長期に及ぶことから体内で耐性菌出現の確率が高く、菌交代症から終末感染症になることが多い。高齢者や小児を含む考えがあるが、単に年齢だけで易感染性宿主に分類することはない。

免疫力を維持し、細菌数を減らし、総合力で宿主の抵抗力が常に細菌の病原性より勝った状態を維持することです。

外因性感染症の防ぎ方は、感染する微生物により異なりますが、基本的には感染経路を遮断することで防ぐことができます。一方、内因性感染症である口腔の場合は、すでに感染しているので、発症を防ぐ努力により共存することが前提になります。加齢により免疫力が低下しても、十分な口腔ケアにより後述する健康な歯垢を維持し、口腔内の総細菌数を減らすことによって歯周病や誤嚥性肺炎などの発症を防ぐことが可能です。免疫力の低下している高齢者にとって、口腔ケアは生命維持に直結する最善の感染防止法です。

3）常在菌はどこから来たのか

口腔は胃や腸と同じ消化器官に分類されます。口から肛門までは、部位的には体の中にありますが、体の外と考える必要があります（**図4**）。受精卵が分裂を開始するとある時期に将来肛門となる原口といわれる部位がくぼみ（嵌入（かんにゅう））始めます。あとで嵌入がおこった前腸部分が口腔と連結し、内胚葉からできる腸管部分とつながり一本の管となります。このようにして受精卵の表面がへこんでつながり外界から異物（食物）を受け入れることのできる消化管が形成されるのです。つまり消化管の内部は体の外といえます。

胎児は母体内ではほぼ無菌状態の中で成長しますが、出産と同時に微生物に満たされた環境に出てきます。われわれの研究でも出産２時間後の新生児の口腔から母親の産道の菌が検出されました。その後は外界と接する皮膚、呼吸器・消化管・生殖器など全ての表面は微生物で覆われることになります。地球上には哺乳類や人類が出現するはるか昔から微生物が生息しており、すべての生物は、微生物環境で生きていくことが運命づけられます。つまり、ヒトは微生物に満たされた地球の新参者です。

では、具体的に常在菌はどのようにしてわれわれの体にやって来たのでしょうか？みなさんご存じのように口腔細菌は、食べ物を口移しであたえる、ハシやスプーン、同じ食器で食べるなどの行動で近親者から容易に細菌は伝搬します。口腔の例はイメージ的には理解しやすいですよね。気を付けているから移らない？そう思うのはあなたが細菌の大きさを十分認識していないからです。今回の新型コロナウイルス感染予防では、しつこいように「向

図4　人体は竹輪

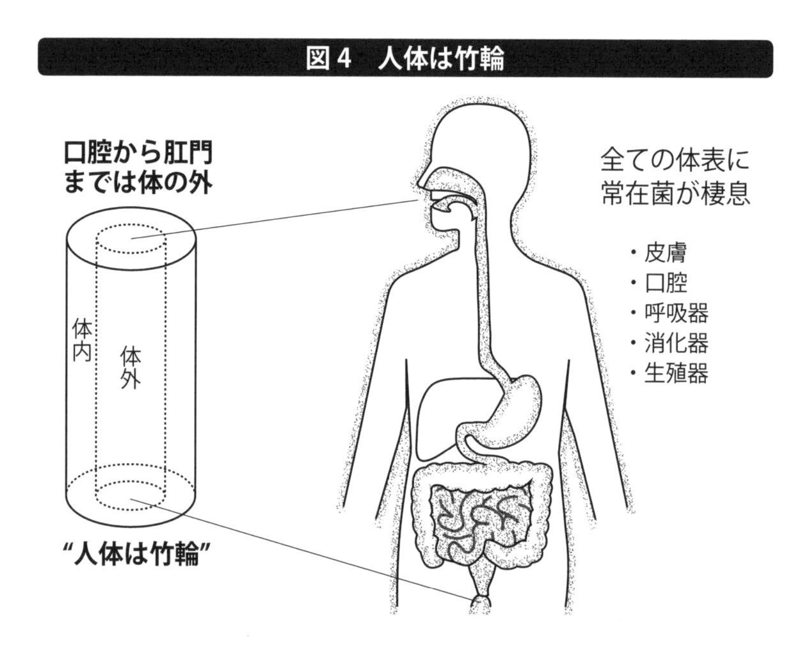

かい合わせに座るな」、「ついたてを置け」、「三密をさけろ」と言われていますね。なぜですか？簡単ですね。唾液の飛散を防ぐためです。飛沫は鼻からだけでなく、口からも入ります。近距離で生活するということは、すなわち、結果的に常在菌を共用することを意味します。

コアラの子は親の糞を食べることによって、有毒物質を解毒する腸内細菌を獲得する。

信じられないかもしれませんが、もう１つ興味ある細菌の伝搬に関する話をしましょう。あなたの腸内細菌叢も口腔細菌叢と同様、両親や家族と極めて類似しています。両親の糞便を食べた記憶がありますか？難治性の腸疾患の治療法に、健康な人の糞便を肛門や鼻から注入する治療法（糞便移植）がありますが、糞便注入を受けた記憶がありますか？ありませんよね。コアラはユーカリの葉の繊維を消化し、有毒物質を解毒するために親の腸内細菌を子に伝えます。どうやって？これは「糞食」という行動で、同じような習慣は多くの動物でみられます。では糞食習慣のないヒトでは、どのようにして両親と似た腸内細菌叢ができあがるのでしょうか？伝搬経路は詳細には解明されていませんが、おおよそさまざまな生活環境の中で伝搬したと考えられています。なぜなら、両親の手指や衣服などから数多くの糞便の細菌が検出されているからです。いずれにしろ、近親者の糞便中の細菌は口を経由して入り、腸内細菌叢が形成されたことだけは確かです。

いかがですか？ヒトと細菌との関係を少しは理解していただけましたか？ COVID-19の例でもおわかりのように、ヒトはウイルスや細菌に支配された環境で生涯を過ごすのです。

4）常在菌は敵か味方か？

「**最後は常在菌に殺される？**」とは一体どういう意味でしょう？

常在細菌叢は、いわゆる善玉菌、悪玉菌、そして日和見(ひよりみ)菌から形成されています。一般的に常在細菌は、ビタミンやアミノ酸の産生、免疫の活性化、外来性細菌の定着を阻止など生体にとって有意義です。しかし、抗生物質の投与などにより感受性の善玉菌

図5　主な常在菌の生息部位と菌数

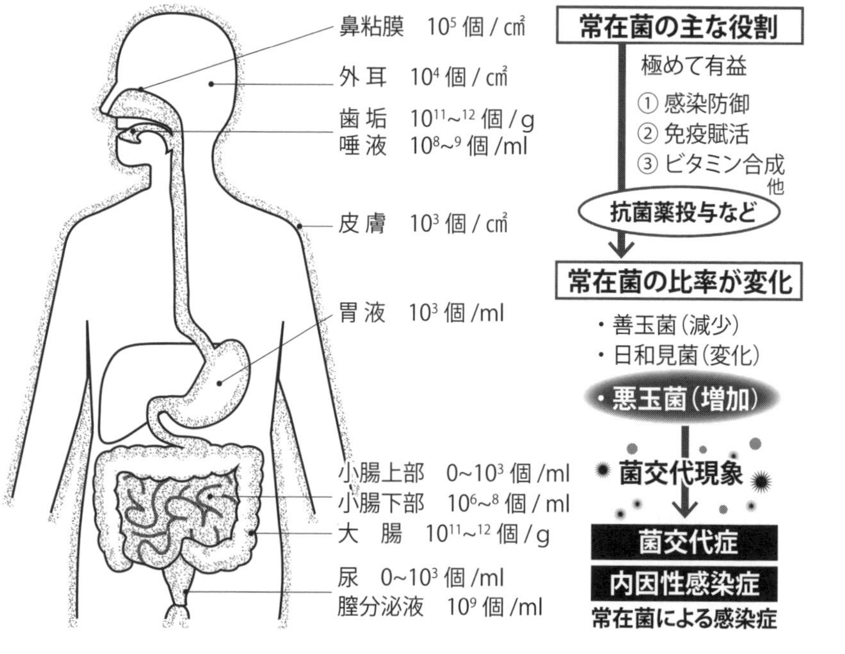

が減少し構成細菌比率が大きく変動した場合などでは、少数であった**悪玉常在菌や日和見菌**が増加します（**菌交代現象**）。その結果、常在菌による**内因性感染症**がおこります（**図5**）。

医療未発達の国々における主な死亡原因は外因性感染症です。医療先進国の日本における死亡原因の第１位は悪性新生物（がん）、第２位が心臓疾患で、第３位が老衰、第４位は脳血管障害、第５位が肺炎です（2018年　厚労省「人口動態統計」）。しかし、死亡原因は直接的死亡原因と間接的死亡原因に分けて考えることができます。以前は肺炎が第三位でした。近年在宅医療が増え高齢者の死亡原因を判断することが難しいとされる時は、老衰と判

図6　日本における主な死亡原因は？

2011年
厚労省「人口動態統計」

❶ 悪性新生物
❷ 心疾患
❸ **肺炎**
❹ 脳血管障害

2018年
厚労省「人口動態統計」

❶ 悪性新生物
❷ 心疾患
❸ **老衰**
❹ 脳血管障害

老衰は反復性の誤嚥性肺炎のリスクがある
成人肺炎診療ガイドライン（日本呼吸器学会 2017年）

死因別にみた死亡率（2017年）
（10万人当たり）

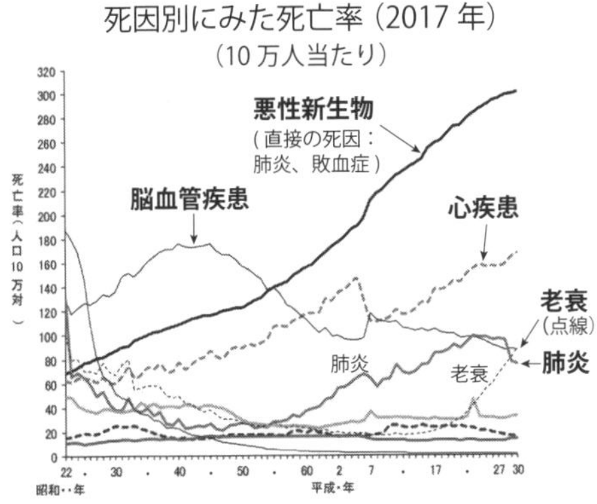

心不全、脳血管障害や老衰の人は誤嚥性肺炎を起こしやすい

↓

高齢者の主な死亡原因は誤嚥性肺炎

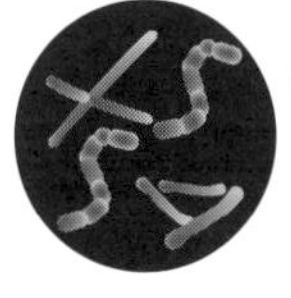

誤嚥性肺炎は口腔や咽頭の常在菌が原因

断される場合があります。がん患者では多くの場合、肺炎や敗血症で亡くなります。死亡原因が老衰と診断された高齢者も多くの場合同様です。したがって、第1位から第5位までの死亡原因をまとめると、医療未発達の国と同じように、本邦における直接の死亡原因は感染症といえます（**図6**）。その原因菌は、口腔、咽頭、そして皮膚などにいる常在菌です。つまり、長年生活を共にしてきた皮膚や粘膜表面の常在菌が皮下や粘膜下など体内に、そして血液内に侵入し、宿主を死亡させることになります。したがって、「**寿命とは常在菌と共存できる期間**」と言い換えることができると思います。健康長寿の秘訣は、免疫力を維持し、常在菌をコントロールしながら仲良く共生していくことです。

第2章

口腔環境

―すべては口からはいる、菌も食物も―

第2章

口腔環境
―すべては口からはいる、菌も食物も―

1. 口腔と腸管 ―口と腸、命をつなぐ太い管―

1）歯垢（デンタルプラーク）は糞便よりすごい細菌のかたまり

みなさんご存じのように、常在菌が最も多く生息する部位は腸管です。腸管は全長8～8.5 m、総面積約32 ㎡ (畳20畳) にも及ぶ体内で最大の器官です。小腸内には糞便1 gあたりおおよそ1,000万個/g、大腸には約1,000億個/g、全体では遺伝子による分類レベルでは約1,000種類、$1.0 \times 10^{12 \sim 14}$個の細菌が生息しているといわれています。

一方、口腔は約200 ㎠、ティッシュペーパー3/4程度の広さに約700種類、5,000億の細菌が検出されます。糞便1 gあたり約1.0×10^{12}個の細菌が検出されますが、歯垢1 gからも約$1.0 \times 10^{11 \sim 12}$個と糞便とほぼ同数の細菌が検出されます。常に飲み込んでいる唾液1 cc中には約1.0×10^{8}個の細菌が含まれています。唾液は毎日1～1.5 L分泌されますので、少なくとも、毎日約1.0×10^{11}個の口腔細菌を飲み込んでいるということになります（図7）。

総菌数では間違いなく腸管内が多いのですが、単位面積当たりの細菌数はどちらが多いでしょうか？細菌の生息密度は口腔の方が多いことがよくわかります。また、糞便内には多くの未消化の食物繊維などが含まれていますが、歯垢は細菌と細菌が産生した多糖類の凝集塊で、食べ物のカスは全く含まれていません（p.47 図 16）。

口腔を生息部位とする細菌は、約 80 kg にも及ぶ強い咀嚼の圧力や大量の唾液の流れに逆らって歯や口腔粘膜にしっかりと付着する必要があります。もし脱落し嚥下されると、大部分の菌は胃酸（pH. 1.0 ~ 1.5）や胆汁酸で殺されてしまい種族の保存が困

図 7　口腔環境と腸内環境の比較

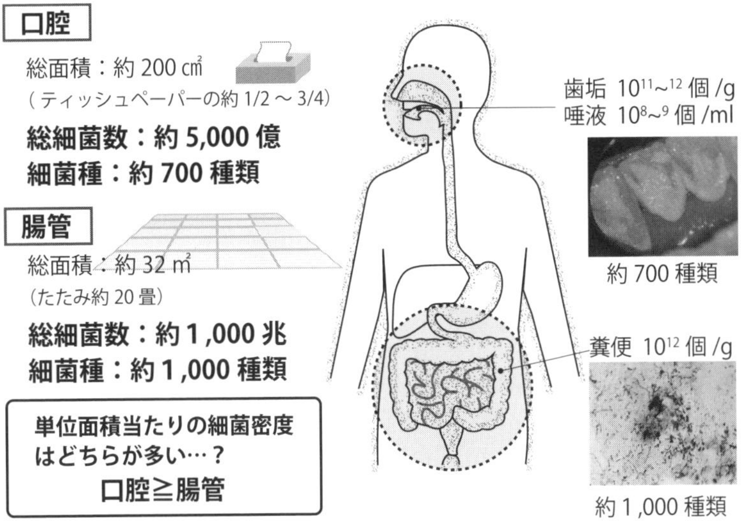

口腔
総面積：約 200 ㎠
（ティッシュペーパーの約 1/2 ～ 3/4）
総細菌数：約 5,000 億
細菌種：約 700 種類

腸管
総面積：約 32 ㎡
（たたみ約 20 畳）
総細菌数：約 1,000 兆
細菌種：約 1,000 種類

単位面積当たりの細菌密度はどちらが多い…？
口腔≧腸管

歯垢 $10^{11\sim12}$ 個 /g
唾液 $10^{8\sim9}$ 個 /ml
約 700 種類

糞便 10^{12} 個 /g
約 1,000 種類

腸管は全長 8 ～ 8.5 m あり、膨大な数の細菌が腸内細菌叢を形成している。
一方、口腔は狭い環境に密度の高い口腔細菌叢が形成されている。

難になります。つまり、歯や口腔粘膜に強く付着することができる細菌によって口腔の細菌叢が形成されているのです。

補足説明：口腔や腸内細菌叢内の菌種の数や総数は解析法の進歩により常に更新されており、糞便中の菌種は10,000種以上とする報告や総菌数が1.0×10^{13}個以上とする報告もある。

2）口腔に細菌が多いわけ

細菌が発育・増殖するには一定の条件が必要です（**図8**）。口腔はこれらの条件を全て満たしており、細菌にとって絶好の生存環境といえます。夜しっかり歯磨きをしたのになぜ朝になると口がヌルヌルするのか疑問に思いませんか？口腔内では、約6～8時間あれば歯磨き前と同じくらいの細菌数に回復してしまうのです。

図8　口腔内に細菌が多い理由（口絵カラー写真参照）

口腔細菌の発育条件

- ❶ **温度が一定**
- ❷ **湿度がある**（唾液）
- ❸ **栄養が豊富**
  - ・食餌由来：糖、タンパク質 他
  - ・生体由来：歯肉溝液（血清）、唾液 他

- ❹ **硬組織**（歯）**と軟組織**（歯肉、頬粘膜他）**が存在**
- ❺ **酸素濃度が多彩**
  - ・好気性：好気性細菌、カビ
  - ・嫌気性：嫌気性、通性嫌気性菌
- ❻ **細菌間で凝集し発育支援など協力する**

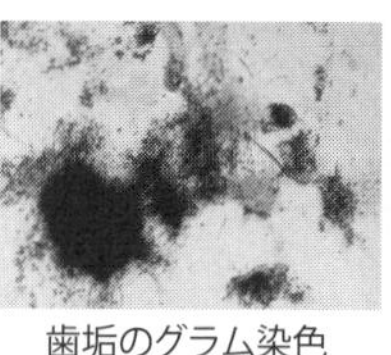

歯垢のグラム染色

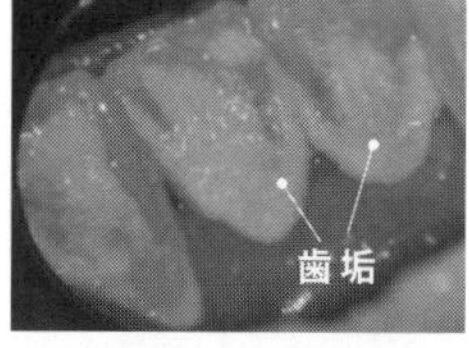

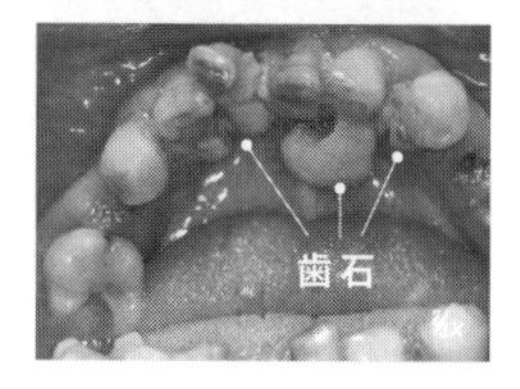

口腔は細菌が生息するのには最適な環境。さらに、腸管と異なり歯という硬組織が植立しており、粘膜とは異なった細菌も生息しているので極めて複雑な細菌叢が形成される。

なぜ狭いにも関わらず多くの種類の細菌が生息できるのでしょう？それは粘膜だけからなる腸管と異なり、歯という硬組織が植立しているため、歯と粘膜といった全く異なった組織に付着する能力を持ったさまざまな細菌が生息できるのです。

口腔細菌は**凝集**（ぎょうしゅう）性という口腔細菌を特徴づける極めてユニークな性状を持っています。細菌の凝集には同一菌種同士でおこるものと、**異菌種間でおこる凝集（共凝集）**があります。一般細菌でもブドウ球菌のように凝集状態で増殖する菌もいますが、共凝集性を持つ菌はあまりいません。この凝集性は後述する歯垢のでき方に深く関係しています。

2. 口腔の環境 ―歯があるおかげで…―

1）歯の役割

歯は食べ物を噛み砕いて消化吸収しやすくします。また、魅力的な笑顔にはきれいな歯と歯列がとても役に立つなどの知識をお持ちだと思います。果たしてそれだけでしょうか？物事を考えるとき、「もし、それがなくなったら」と考えるとその重要性が良くわかります。もし、歯がなくなったら？野生動物は死を意味します。肉食動物は獲物を捕れなくなりますし、草食動物は草や葉を食べられなくなります。野生動物は「**歯が命**」です。歯がなくなっても生きていられるのは、欠損部を入れ歯で補うことのできるヒトだけです。つま

一瞬で
決まる印象
歯と笑顔

り、ヒトにおいても「歯は命」です。

歯は単に食べるだけに役立つのではありません。ヒトでは噛みごたえや味覚を味わううえで食欲増進にも関係してきます。また、人間の知識活動で重要な位置を占めるコミュニケーションや咀嚼による脳の活性化も科学的に証明されています。無歯顎の人に比べ残存歯数の多い人は認知症になりにくいこともわかっています。また、義歯を入れて咀嚼を回復することによって寝たきりの人が歩行するまでになるなど、健康に大きな影響を持っています。歯科矯正で歯並びを治したら、さまざまな精神活動にもよい効果をもたらし、笑顔が戻り内向的な性格が積極的になり社交的になるという研究報告もあります。

このように、歯は単にモノを食べるといった肉体的な問題だけでなく、精神活動にも深く関わっています。もし、口からものが食べられなくなったらどうなると思いますか？これについても後半で詳しく述べたいと思います。

2）1本の歯が大切なわけ

さて、虫歯や歯周病で歯が1本くらいなくなっても、「大した問題ではない」そう考えている方が多いようです。歯は上下全部で28本がお互い隣の歯同志が接触し、支えあって歯列を形成しています。さらに、隣り合っている歯と複数の歯根で強力な咬合圧を分散、吸収し強い圧力の害から組織を守っています（**図9**）。特に、歯根と歯槽骨の間にある**歯根膜**は車のショックアブソーバーの役目をして、顎の骨と歯根が直接ぶつかり合うのを防ぎ組

図 9　互いに支え合う歯　（歯列が重要）

健康な歯（歯列）

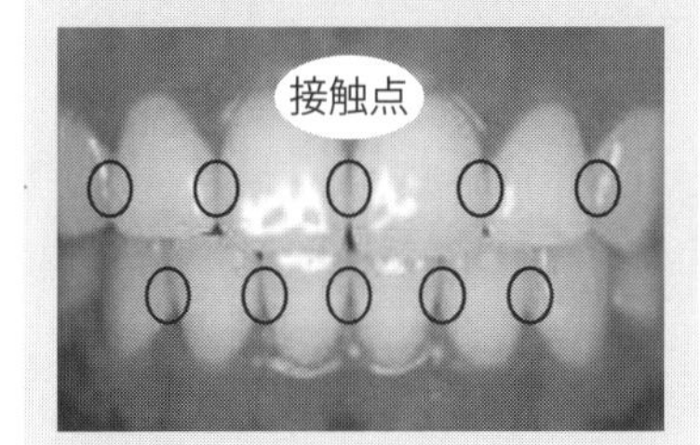

かむ力：約 80 kg / cm²

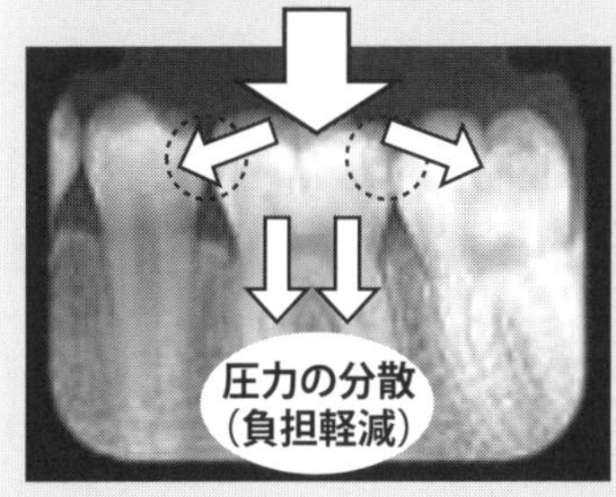

歯が 1 本抜けると

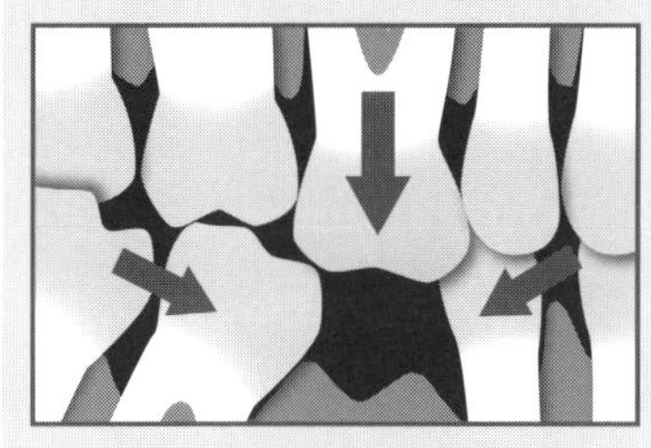

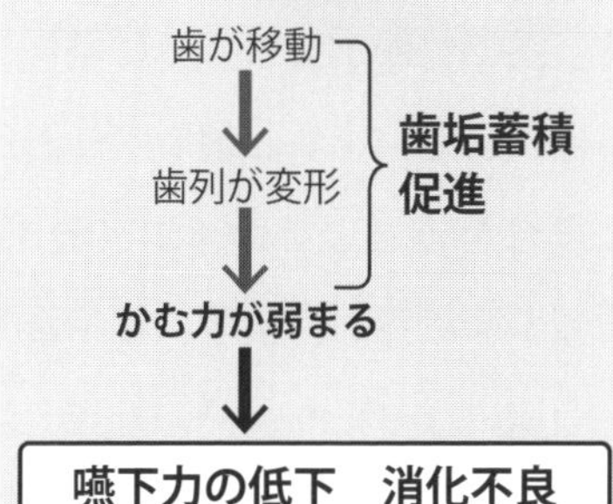

織を守っています。もし、歯が 1 本でもなくなると支えをなくした歯は欠損部方向に傾いてしまいます。その結果、歯と歯の間が広がり、食べ物が詰まり歯垢がたまりやすくなってきます。また､噛み合う相手の歯がなくなった歯は徐々に抜け出してきます。

このように 1 本でも歯が抜けると、口の中でさまざまなトラブルがおこります。しかし、このような変化は短時間ではおこりませんのでついつい放置されるため重症化し、治療に時間と費用がかかる結果となります。欧米に比べ日本は歯や歯列の重要性に対する認識が低いため、後回しになってしまうのではないでしょうか。「たかが歯の 1 本ぐらい」が命取りになります。痛みがあるとだれでも強く反応しますが、症状が弱く徐々におこる変化に対して人は鈍感になります。それを予測する判断力は、健康に対する認識と教養の差によるといってよいのではないでしょうか。

3）こんなにすごい唾液の役割

唾液は、3つの大きな唾液腺（耳下腺、舌下腺、顎下腺）と口唇線や舌腺などの多数の小唾液腺から1日1 ~ 1.5 L分泌されます。99.5%が水分で残りに粘液成分、**酵素**、**抗体**や**抗菌物質**などが含まれています。健康な口腔環境を維持するために極めて重要な役目を果たしています（**表1**）。就寝中は、分泌量がほぼ半分に減少するため、抗菌作用や洗浄作用が低下し細菌が増殖しやすい環境になります。その結果、歯垢の蓄積量が増加するため、口腔内は起床時に最も細菌数が多い状態となります。朝、口がネバネバすることで唾液の役割の一端を実感することができると思います。

また、唾液の持つ**洗浄作用**や**緩衝作用**は細菌が作る酸による口腔内のpHの低下を防ぎ、虫歯予防に役立ちます。舌表面にある味蕾は唾液に溶解した物質を感知し味覚を感じることができます。口腔乾燥症などの患者では、唾液の分泌量が減るため味を感じられなくなります。その結果、食欲の低下や抗菌作用の低下による細菌やカビの増殖などさまざまな問題がおこります。

唾液中には抗体や血清成分などが含まれているため、全身的な情報を得る有効な手段ともなります。さらに、簡単に採取できることから、遺伝子診断やさまざまな臨床検査にも用いられていま

表1　唾液の主な働き

消化作用	消化酵素アミラーゼによりデンプンを麦芽糖に分解する
円滑作用	水分、ムチンなどの作用により咀嚼、嚥下、発音を円滑にする
洗浄（浄化）作用	唾液の流れにより細菌や付着物を洗い流す
緩衝作用	重炭酸塩やリン酸塩によりpHを維持する作用がある
再石灰化作用	カルシウムイオンなどによりエナメル質を再石灰化する
抗菌作用	・リゾチーム（細菌を溶解する酵素） ・ラクトフェリン（鉄結合性タンパク質の一種で細菌が発育に必要な鉄の取り込みを阻害して発育を抑制する） ・分泌型IgA抗体（細菌を凝集したり、細菌の粘膜への付着を阻害するなど感染予防に効果のある抗体） ・ディフェンシン（粘膜上皮細胞が産生する抗菌物質）など

す。それを利用して唾液による新型コロナウイルスの診断法なども開発されています。

4）歯垢（デンタルプラーク）の世界

歯垢の約80～90%は細菌で、約20%前後は細菌が作り出した多糖類、そして脱落した粘膜上皮や血液内の細胞成分です。では、歯垢を形成する菌はいったいどこから来るのでしょうか？常在菌の項ですでにお話ししましたが、大部分は近親者からの**家族内伝搬**です。歯垢から遊離した菌はいったん唾液に浮遊し、再度歯面に付着します。

近年、この家族内伝搬を必要以上に忌み嫌う話を聞きますが、乳幼児期で口腔細菌叢が形成される以前は別として、一度形成された細菌叢が簡単に外来性の細菌に置き換わることはほとんどありません。細菌の塊である納豆やヨーグルトを食べても、これらの菌は数時間後に口腔から検出されることはありません。つまり、細菌の定着は付着部位を取り合う椅子取りゲームのようなもので、強力な力で付着菌を排除しない限り新たな細菌が口腔内に定着することはできません。歯や粘膜に付着した口腔細菌は外来性の細菌の口腔内定着を阻止し、口腔環境を維持する重要な役割を担っています。ただし、適切な口腔ケアを怠り、歯垢量が増え細菌の構成比率が変化すると、一部が増殖して反乱をおこし**内因性感染症**の原因となります。

どのような手段を使っても家族内伝搬を防ぐことはできません。むしろ、乳幼児期に正常な口腔細菌叢を形成するためには、家族が健康な口腔細菌叢を維持し自然な形で家族内伝搬することだと思います。お子さんの**健康な口腔細菌叢形成は両親の責任**で

＊3 レンサ球菌

直径1～2 μmの球状の細菌で、増殖時に細菌細胞が鎖のようにつながるのでこの名がある。レンサ球菌の仲間は口腔、鼻咽頭、腸管、膣など幅広く分布しており、代表的な常在細菌。さまざまな感染症との関連性も深く、重篤な感染症の原因ともなる。代表的なものとして肺炎球菌や化膿レンサ球菌がある。後者は、咽頭炎、扁桃炎やおできなど局所の化膿性疾患、また、しょう紅熱などの原因菌となる。感染後数日で死亡するいわゆる人食いバクテリアもこの仲間。糞便中のレンサ球菌は、敗血症、尿路感染、腹腔内感染などの原因となる。

す。家族の健康な口腔環境を維持するためには、両親は継続的な口腔ケアにより口腔を守る中心メンバーである善玉レンサ球菌*3主体の初期歯垢を維持する努力が重要です。

① 歯垢の種類

歯垢は形成される部位により大きく２つに分類されます（**図 10**）。歯肉辺縁の位置を基準として、歯冠部、つまり見えている歯に蓄積する歯垢を**歯肉縁上歯垢**、歯肉辺縁から下の歯肉溝内に付着している歯垢を**歯肉縁下歯垢**といいます。それぞれの歯垢内から検

図 10　歯肉縁上歯垢と縁下歯垢の比較

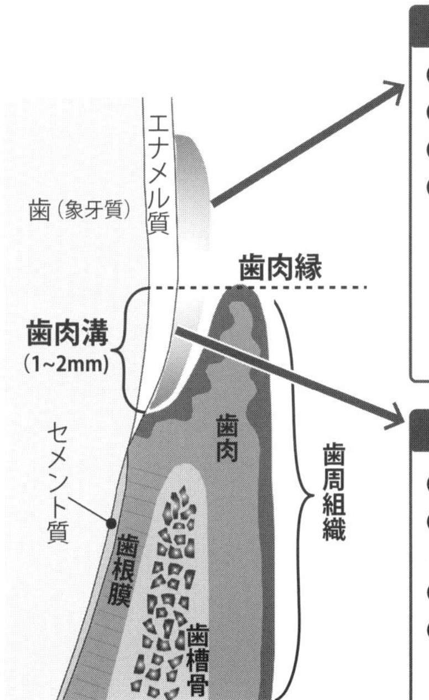

歯肉縁上歯垢

❶ グラム陽性球菌が優性
❷ 酸素があっても発育
❸ 砂糖などの糖を分解し酸を産生
❹ 発育が早く歯垢形成を促進

緑上歯垢の蓄積は緑下歯垢内の環境に影響し病原細菌の発育を促進

→ **う蝕、歯肉炎**

歯肉縁下歯垢

❶ グラム陰性菌の割合が増加
❷ 酸素があると発育できない病原性菌が増加し、組織炎症や破壊を促進
❸ 糖を利用できない（タンパク質を利用）
❹ 炎症で増える歯肉溝液を利用し、大量の病原菌が増殖

→ **歯周炎**

第2章

出される細菌種は異なり、病原性も違ってきます。

細菌は酸素に対する耐性の違いで、酸素があっても発育できる**好気性菌**、酸素があると発育できない**嫌気性菌**、いずれの条件でも発育できる**通性嫌気性菌**に分けることができます。歯肉縁上歯垢は通性嫌気性のレンサ球菌を中心に形成されています。レンサ球菌は糖を分解してエネルギー源とするため発育・増殖が速く、同時に代謝産物として大量の**酸**を産生します。過剰な砂糖摂取がう蝕の原因であることは広く知られていますが、蓄積量が増えると歯肉に炎症がおこり**歯肉炎**の原因にもなります。歯肉縁上の歯垢量が増すと歯肉溝を塞ぐ栓の役割をするため、歯肉溝への酸素の流入量が減少します。その結果、嫌気性菌である歯周病原菌の増殖を促進する原因となります。つまり、歯肉縁上の歯垢蓄積は**う蝕**（第 5 章 , 3.）だけでなく、結果的には**歯周病（歯肉炎と歯周炎）**（第 5 章 , 4.）の原因にもつながってくるのです。

＊4 内毒素（リポポリサッカライド , LPS）

細菌の毒素には細菌が増殖する際に細胞外に分泌するもの（外毒素）と細菌細胞表層に結合している内毒素がある。外毒素は、特定の細胞にのみ毒性を示すため腸管毒や神経毒などという作用部位別の分類がある。毒性が極めて強いが、毒素の本体はタンパク質であるため一部の例外を除いて加熱処理で毒性がなくなる。一方、内毒素はエンドトキシンともいわれ、糖に脂質が結合したもので熱などに非常に強く無毒化することは非常に困難。一般的に毒性は弱いものの、多種類の細胞に毒性を示し炎症を誘導する。ただし、大腸菌などの内毒素のように、大量に血液内に入るとエンドトキシンショックをおこし死亡する場合もある。

歯肉溝内に蓄積する歯肉縁下歯垢は、嫌気性のグラム陰性桿菌の比率が高くなっています。この菌は糖を分解できないためタンパク質分解酵素を大量に産生し、歯肉溝内にもれ出てくる血液の成分や歯周組織の細胞を直接破壊し栄養源にしています。また、これらの菌は菌体表面に**内毒素**[*4]という毒素を持っています。この毒素は多くの細胞に為害作用があり炎症をおこすため、歯肉の細胞が壊れてしまいます。さらに、歯槽骨を吸収破壊する**破骨細胞**[*5]の数を増やし活性化するなど**歯周炎**の直接的な原因となります（**図 11**）。

歯肉溝内は、腸管と違って出口のない盲嚢状態ですので、増殖した細菌は糞便のように排泄されません。また、歯肉溝内で増殖した細菌は日常的に歯周組織の中に侵入して炎症をおこしています。

＊5 破骨細胞

骨は骨細胞とその周りに蓄えられたコラーゲンとアパタイトという物質から作られており、その硬さを維持するため、破壊と形成により常に新しく生まれ変わっている。また、骨は身体を支えるだけでなく、カルシウムなどのミネラルの重要な保存、補給源となっている。骨が新しく作りかえられる場合、古い骨は破骨細胞によって吸収され、同時に同じ量が骨細胞のもとになる骨芽細胞により作られている。破骨細胞内には複数の核が存在しており、複数の細胞が融合してできた極めて珍しい細胞。破骨細胞は骨質を溶かす酵素を放出したり、骨との接触部分を酸性にして骨を溶かす。その数はさまざまな刺激により常に変化する。特に炎症物質の刺激により増加する。歯周病ではそれが顕著にあらわれる。健康な成人では、破骨と造骨のバランスが維持され骨量は一定に保たれている（**図 11**）。成長期には造骨量が増し身長が伸びるが、老化などさまざまな理由で破骨量が増えると、骨粗鬆症（こつそしょうしょう）などの疾患になる。

② 歯垢のできかた

歯垢が形成されていく過程は詳細に研究されています。

第一段階として、レンサ球菌は歯の表面のカルシウム成分（エナメル質）に吸着した唾液の糖タンパク質（**ムチン層**）に付着します。細菌もムチンの表層もマイナスに帯電しているため反発しあうはずですが、細菌は歯の表面に瞬間的に付着します。なぜなら、唾液中には歯から溶け出した２価の陽イオン、カルシウムイオンが豊富にあり、細菌とムチンの**静電気的な結合**（図 12）を仲介するからです。

図 11　生理的な骨吸収と病的な骨吸収

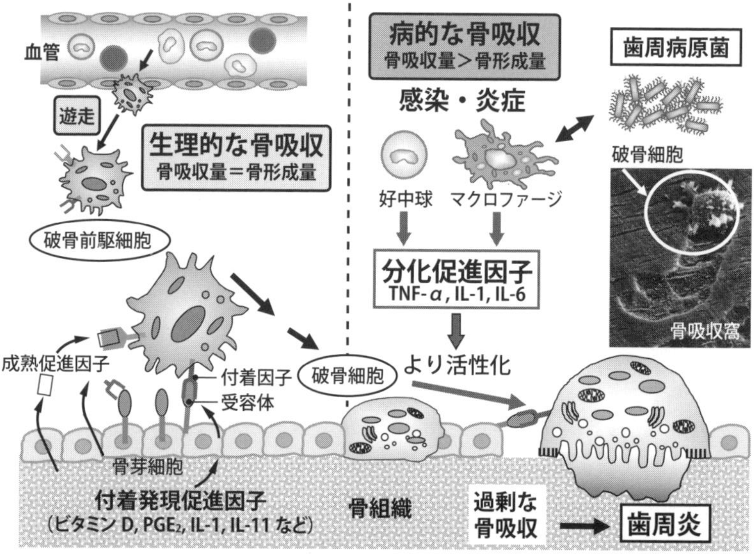

破骨前駆細胞は血管から遊走し、骨組織をつくる骨芽細胞に結合する。健康な状態では同じ量の破骨と造骨がおこる。しかし、炎症などさまざまな刺激で破骨細胞数が増え、骨吸収量が多くなる。（骨吸収窩：明海大学 羽毛田教授 供与）

第二段階として、細菌体表層とムチンを構成する糖やアミノ酸成分が特異的により強く付着します（**特異的結合**）。第三段階として働くのが**異菌種間凝集作用**（**共凝集**）です。自力では歯に付着できない唾液中のさまざまな菌が、異菌種間凝集の仲介菌によって歯に付着しているレンサ球菌に結合します。歯周病原菌の

図12　歯垢形成機序

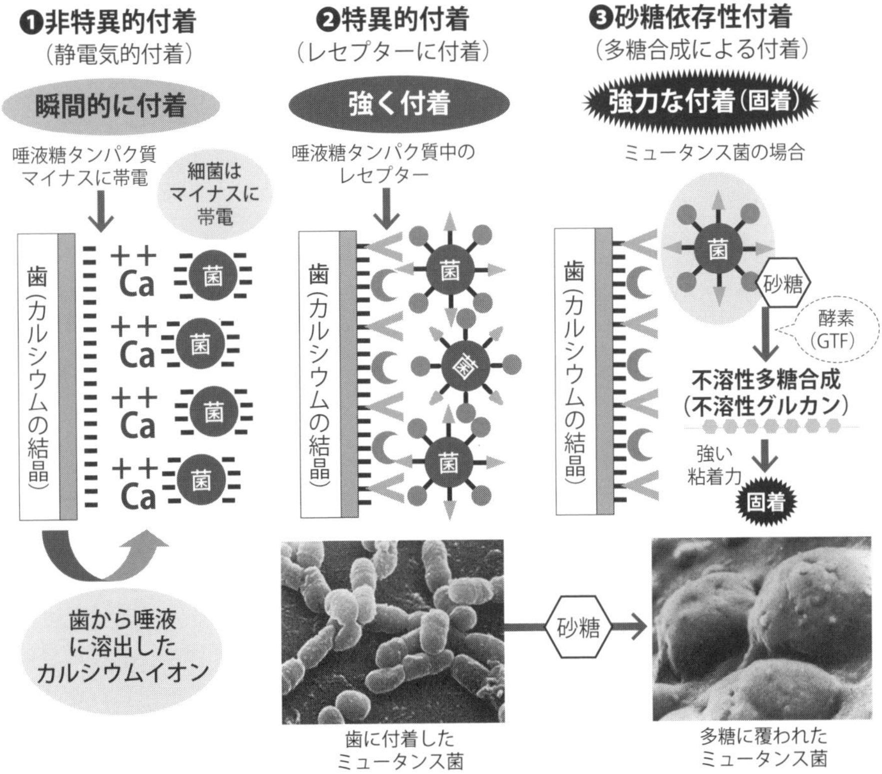

❶非特異的付着（静電気的付着）

❷特異的付着（レセプターに付着）

❸砂糖依存性付着（多糖合成による付着）

歯垢形成細菌は瞬間的に付着する。また、唾液糖タンパク質の成分に特異的にも付着する。その後、ミュータンス菌は砂糖などから不溶性の多糖を合成し歯の表面に固着する。

多くは、この仲介菌の助けを借りて歯に付着し歯肉縁上歯垢が形成されます。このようにして、それぞれの菌が相互に付着し助け合うため、極めて短時間に多種類の細菌からなる歯垢ができあがるのです（図 13）。

朝起きたら口の中がヌルヌルする。そして、歯磨きをしないと

図 13　歯垢中に細菌が多い訳（凝集能力）

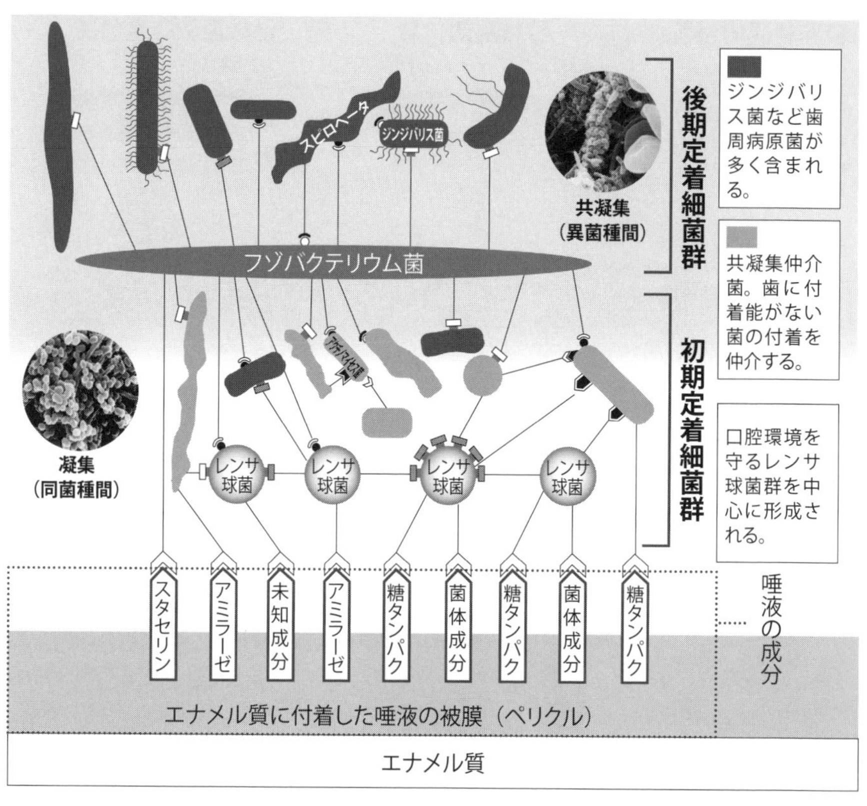

歯垢を形成する菌は歯に付着するのではなく、歯に吸着した唾液成分に付着する。どの菌が唾液のどの成分に吸着するかはすでに詳細に解明されている。

歯垢がたまる。この背景では口の中でこのようなことがおこっているのです。

③ 歯垢を構成する多彩な細菌のメンバー

細菌は酸素に対する抵抗性により、**好気性菌**、**通性嫌気性菌**、そして**嫌気性菌**がいることはすでに述べました。歯肉縁上および歯肉縁下歯垢を形成する細菌種で最も多い菌種は球状の形をした通性嫌気性のレンサ球菌です。その他に、ソーセージのような形をした桿菌や糸状の長い放線菌や糸状菌などがいます。歯垢は、これらの菌が複雑に結合して形成された細菌の膜、つまり**バイオフィルム**です。球菌の大きさは直径約 1 ㎛、つまり 1 ㎜の 1/1,000 程度の大きさです。健康な歯肉溝の深さが 2 ~ 3 ㎜としても縦に 2,000 ~ 3,000 個の細菌が重なっていることになります。歯肉縁下は深部に行けば行くほど酸素量が少なくなるため、歯周病の原因菌であるグラム陰性の嫌気性桿菌の比率が増加します。このグラム陰性嫌気性桿菌が歯周病の原因です。

④ 歯垢中の細菌メンバーは常に変動する

糞便も歯垢の細菌叢もそれぞれ多くの種類の細菌種によって形成されています。しかし、大きな違いは、歯垢は糞便の細菌叢と異なり、短時間でその量と構成細菌の比率が大きく変化するという点です。

a）歯垢量は毎日増加する

不可能なことですが、もし完璧に歯垢を除去したとしても、唾

図 14　唾液中の総細菌数

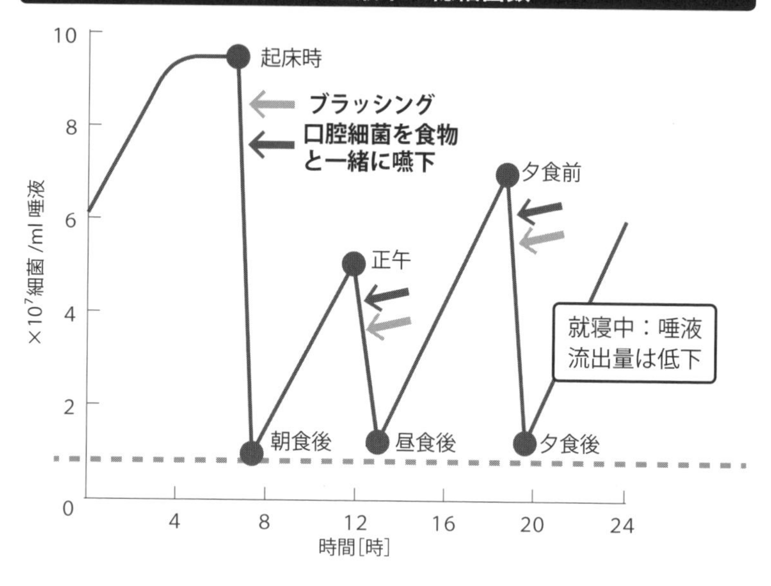

起床時は、就寝時に唾液の流出が低下するため一日のうちで最も口腔細菌数が多くなる。その後食事などにより多くの細菌が嚥下され、増減を繰り返す。

液中の細菌が付着して6～8時間後には清掃前とほぼ同じ歯垢が形成されます（**図 14**）。つまり、夜歯磨きをしても朝には清掃前に戻っているということです。就寝前に歯磨きをして減らしても就寝中は唾液の分泌量が減るため、唾液の洗浄、殺菌作用は期待できません。したがって口腔内は温度、水分、栄養物がそろった細菌が増殖する最適な環境になります（p.30 **図 8**）。その結果、起床時の口腔は1日の中で最も細菌数が多くなってしまいます。朝歯磨きをせずに朝食をとるということは、大量の細菌をまぶした食事をとることになります。後述する口腔細菌による全身疾患を予防するためには、少なくとも、口をすすいでから朝食をとることをすすめます。

清掃後1～2日程度の歯垢は口腔細菌叢で最も優位なレンサ球菌を中心に形成されます（**初期歯垢**）。その後、咀嚼時におこる食べ物の流れなどでこすり取られて歯垢量は一時的に減少します。ただし、飲食物内の糖、特に砂糖の影響は大きく、糖を栄養源としているレンサ球菌を一気に増やすことになります。このように、歯垢蓄積量は起床時、食事の後、砂糖の摂取量などにより1日のうちでも複雑に変化するのです。

b）歯垢構成細菌のメンバーは経日的に変化する

歯垢量と歯垢構成菌の比率は、経日的にもっと大きな変化がおこります。もし、1週間歯を磨かなかったら口腔内にはどのような変化がおこるでしょう？考えてみてください。口腔清掃後1～2日に形成される歯垢は、口腔環境を守るレンサ球菌を中心に形成されます。口腔清掃を怠ると、先に述べた共凝集作用により、唾液内の細菌の再付着などにより歯垢量は徐々に増加していきます（**図15**）。また、毎日歯磨きをしても磨き残しの部位、つまり、歯と歯の間、咬合面の溝、歯茎部、入れ歯や歯科矯正装置などの周囲には歯垢が貯まってきます。先にも述べましたが、健康な口腔環境を維持するレンサ球菌中心の歯垢（**初期歯垢**）に唾液内に浮遊している歯周病原菌などの菌が異菌種間凝集により付着して増殖します（**成熟歯垢**）。さらに、細菌間の熾烈な生存競争が加わり細菌叢を構成する細菌種は変化してゆきます。このような現象を**遷移**といいます。口腔清掃を怠るとこのようにして徐々に病原性細菌の比率が増し**病原性歯垢**が形成されていきます（**図16**）。

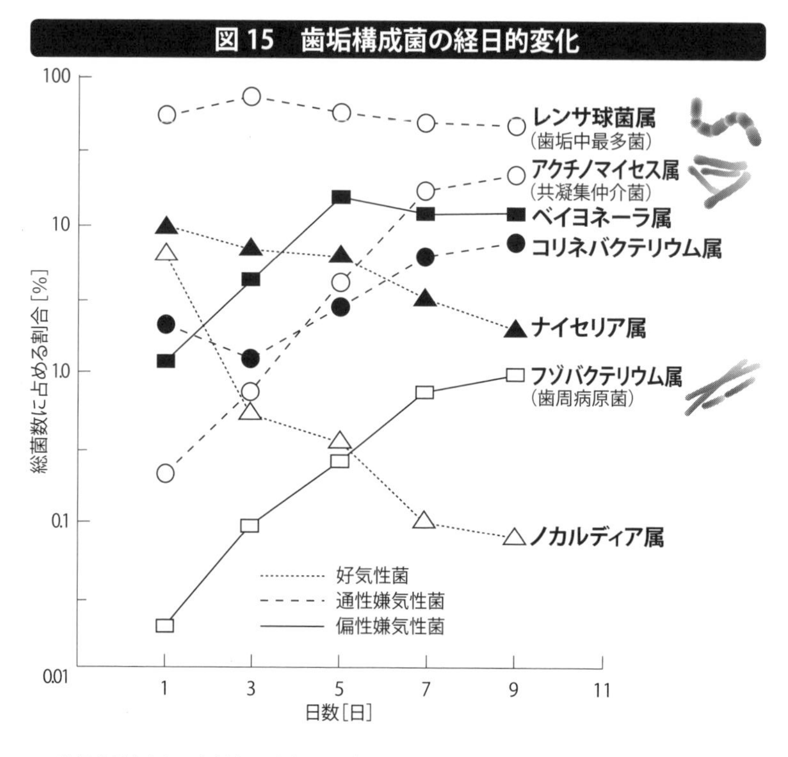

図15　歯垢構成菌の経日的変化

歯垢蓄積とともに歯垢内の酸素濃度が変化し、徐々に歯周病原菌などの嫌気性菌が増加する。口腔内の細菌叢は、腸内細菌叢と異なり日常的に大きく変動する。

口腔細菌叢と腸内細菌叢を比較して考えると口腔細菌の特徴がよくわかります。腸内細菌叢形成菌種の比率は歯垢のように日内、あるいは経日的といった短期間に大きく変化することはありません。歯垢内では1日のうちでも、また、1週間といった短期間内でも構成細菌叢に大きな変化がおこります。したがって、う蝕や歯周病を予防するために最も良い方法は、口腔清掃を継続し、初期歯垢を維持することです。「**常在菌と共存する**」を実践するというのは、自覚と根気のいる習慣です。

図 16　初期歯垢と成熟歯垢

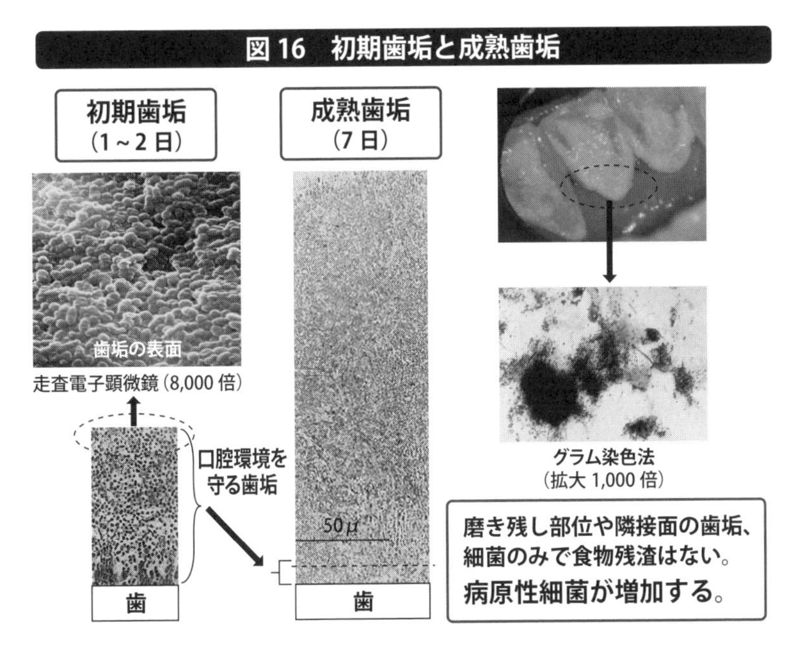

初期歯垢は、口腔環境を守るレンサ球菌中心に形成され食物のカスは含まれていない。
口腔ケアが不十分な場合、短期間に歯垢蓄積量は一気に増加する。

3. 口臭 ―気づいていますかその口臭―

口臭は大きく次の 5 つに分けられます。① 生理的な口臭、② 飲食物による口臭、③ 病的な口臭、④ ストレスが原因の口臭、⑤ 心理的な口臭です。生理的な口臭は、起床直後や空腹時、そして、過度の緊張時などに強まりますが、だれにでも日常的におこるもので全く問題はありません。これらは唾液の分泌量が低下し、細菌が増殖するため口臭の原因となる**揮発性硫化物**が増えるためおこるものです。歯磨きや水分をたくさんとることなどにより弱まります。生活習慣の改善などでもよくなりますので治療の必要はありません。

本書では、病的な口臭についてお話しさせていただきます。

第2章

1）とても多彩な口臭の原因

主な病的な口臭の原因を**表2**に挙げてみました。体が原因の口臭は鼻やのどの呼吸器や消化器系の疾患でそれぞれ専門領域での診断治療が必要となります。蓄膿症、咽頭炎や喉頭炎などでは血液や膿が口腔に出るため口臭がおこります。また、腸内細菌の変化や消化器系の疾患でも口臭が強くなります。

口腔が原因の口臭は、口腔細菌の増殖により**揮発性硫化物**が産生されるために発生します。揮発性硫化物の主なものとして、タンパク質に含まれるシステインから産生される硫黄のような臭いがする硫化水素、メチオニンから産生される玉ねぎの腐ったようなにおいがするメチルメルカプタンとニンニクのにおいのようなジメチルサルファイドがあります。特に歯周病原菌はタンパク質を分解して栄養源としているため、歯周病になると揮発性硫化物が多く作られ口臭がひどくなります。

表2　口臭の原因

口腔が原因	① 唾液分泌量の低下（ドライマウス） ② 虫歯と歯周病 ③ 舌苔 ④ 入れ歯 ⑤ 口腔がん
体が原因	① 呼吸器や消化器系の病気 ② 糖尿病 ③ 妊娠や更年期

また、重症のう蝕、

そして手入れの悪い入れ歯には大量の歯垢が付着していますので口臭の原因となります。舌表面に増殖した細菌や喫煙によっても口臭はひどくなります。

2）口臭の予防法

口腔が原因の口臭は口腔内の細菌ですので、歯科医師の指導により口腔内を清潔に保つ必要があります。口腔清掃により歯垢量を減らすことと義歯の手入れを十分に行うことです。唾液分泌量が低下している場合は、水分補給、唾液腺マッサージや保湿剤により口腔内の保湿を心がけることなどが重要です。そして、何より喫煙は口臭のみならず歯周病の大きな原因となります。

口臭で　気づかぬうちに　人が去り

第3章

サルコペニアとフレイル

―フレイルは要介護への一里塚―

第3章

サルコペニアとフレイル
—フレイルは要介護への一里塚—

第
3
章

本書の最初に「野生動物は歯が命」とお話ししましたが、ヒトではどうでしょうか？ヒトも同じだと思います。

ヒトの場合は、歯がなくなっても義歯で咬合機能を回復することができます。しかし、自分の歯と違い徐々に適合性が悪くなります。オーダーメイドの服が次第に合わなくなってくるのと同じです。また、高齢者にとっては義歯の手入れが負担ですし、不衛生な義歯はさまざまな感染症の原因になります。近年高齢者の増加に伴い高齢者に支払われる医療費が増加し、大きな社会問題になっています。高齢者の**要介護**状態を減らすことによって医療費を削減できることは多くの疫学調査でわかっています。口腔内のトラブルは徐々にですが確実に命に関わってきます。

1. サルコペニアとフレイル
— 孤食、孤独は身の破滅 —

加齢に伴う**筋肉量減少症（サルコペニア）**は活動量が減少するため、全身的な**虚弱（フレイル）**の原因となります（**図 17**）。**要介護**状態に至るまでの過程はおおよそ次のようなものです（**図 18**）。

比較的健康でいられるものの、孤食や社会参加意欲、活動量の低下が徐々におこります（第一段階）。その後、さらなる運動量と食欲の低下からくる栄養面でのフレイル期に陥ります（第二段階）。この状態がさらに進むと、顕著な筋肉量の減少による身体的フレイル期となり身体的機能障害（第三段階）がおこり、要介護状態になります。第三段階から第一段階に回復することはきわめて困難ですが、適切な対処をすれば体力が回復し第二段階から第一段階へ戻ることができます。そのために良い方法は、十分な

図 17　サルコペニア（加齢性筋肉減少症）とフレイル（虚弱）

フレイルの評価基準

❶ 握力低下（筋肉量減少）
❷ 活動量の低下（不活動）
❸ 歩行速度低下
❹ 疲労感
❺ 体重減少

1~2 個当てはまる場合 ➡ **プレフレイル**
3 個以上当てはまる場合 ➡ **フレイル**

（国立長寿医療センター基準）

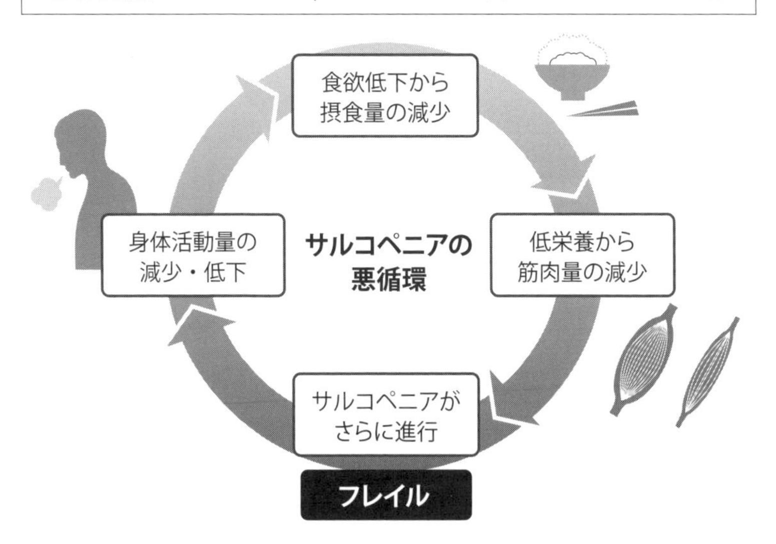

栄養摂取と、適度な運動。そして、意欲的な社会参加により脳を活性化することといわれています。最も重要なことは十分な栄養補給です。つまり、よく食べ、筋力をつけることです。そこで何よりも重要なことは自分の歯、あるいは適切な義歯を入れて咬合機能回復をして健康な口腔環境を維持することです。

図 18　フレイルの進行段階

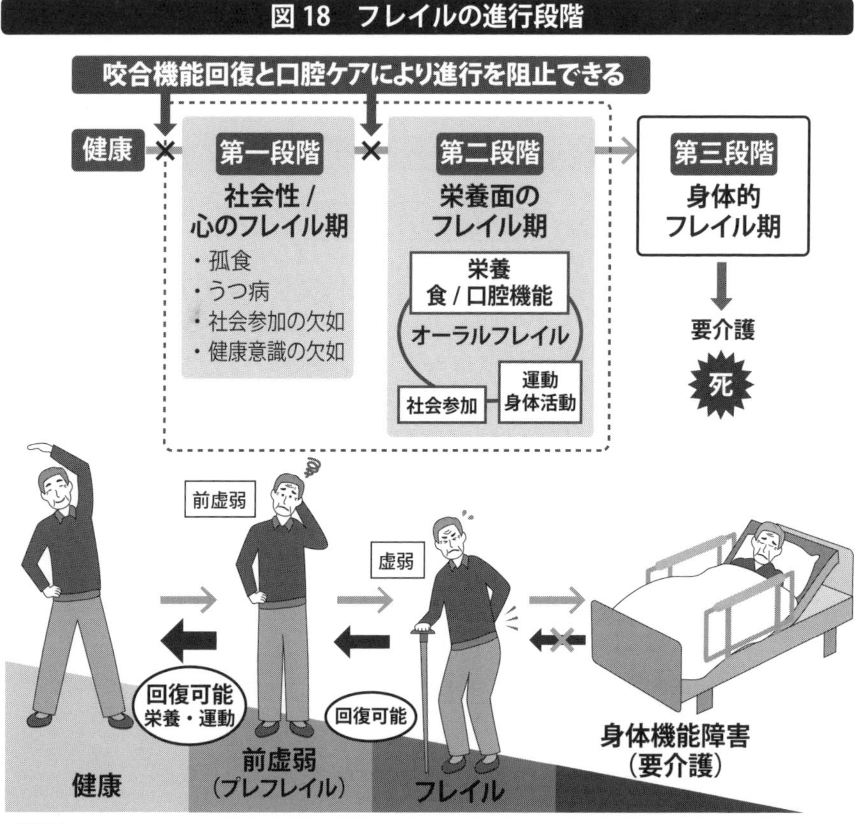

栄養、運動そして口腔ケアにより、フレイルの進行を止められる。さらに、プレフレイルやフレイルからそれぞれ前段階に戻ることも可能となる。高齢者にとって口腔ケアはきわめて重要。

2. オーラルフレイル
―フレイルで、歯なし 食なし 夢もなし―

全身的なフレイルの第二段階で徐々に食が細くなり、筋力が低下すると口腔にも顕著な変化が現れます（**表3**）。このような口腔の機能低下を**オーラルフレイル**といいます。

咀嚼機能が低下すると同時に唾液の分泌量が減ります。唾液内の消化酵素アミラーゼにより、デンプンが部分的に分解され麦芽糖に変わり甘みが出ます。同時に食物に適度の粘性が付与されるため嚥下しやすくなります。オーラルフレイルになると咀嚼や嚥下に関係する筋力が低下するため、食べ物が思うように飲み込めなくなり**誤嚥性肺炎**の原因となります。オーラルフレイルにより、全身性のフレイルが加速度的に進む悪循環がおこるため**生活の質**

表3　オーラルフレイルの診断基準

オーラルフレイルのチェック項目	はい	いいえ
① 半年前に比べ硬いものが食べにくくなった	2	
② お茶や汁物でむせることがある	2	
③ 義歯を入れている	2	
④ 口の乾きが気になる	1	
⑤ 半年前に比べ外出が減少	1	
⑥ たくわん位の硬さの食べ物がかめる		1
⑦ 1日2回以上歯を磨く		1
⑧ 1年に1回は歯医者に行く		1

オーラルフレイルの危険性	2点以下	3点	4点以上
	低い	ある	高い

（アクティブシニア「食と栄養」研究会 HPより）

（Quality of life、QOL）は低下し、**健康寿命**は著しく短縮します（**図19**）。これが「**健康長寿の秘訣は口腔ケア**」といわれる根拠です。

3. 口からものを食べなくなったら ヒトはどうなる？

　オーラルフレイルや全身的フレイルが進むと要介護状態に近づきます。胃瘻を含め食物が経口的に摂取され消化器官が機能している間は、その方の症状や体力によって異なりますが、ある程度

図19　オーラルフレイルの進行による寿命の短縮

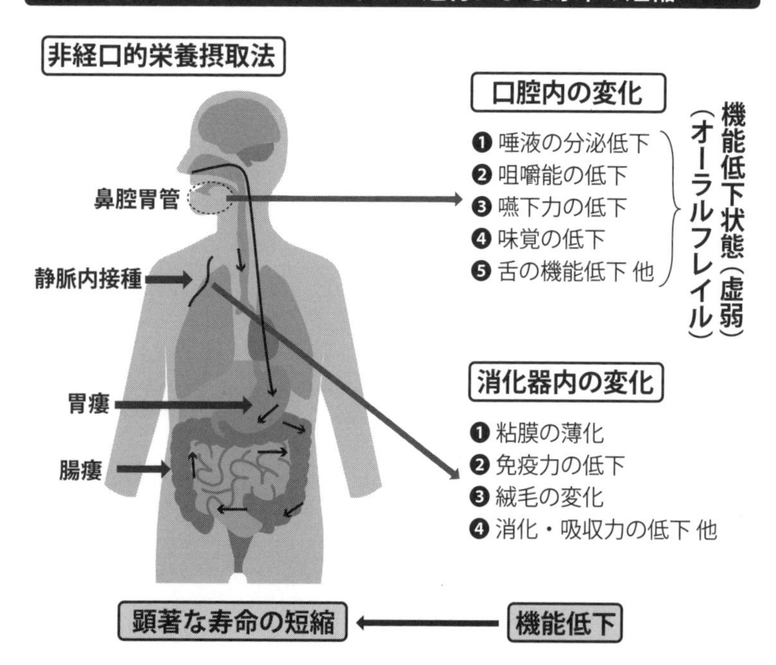

の期間生命を維持することができます。しかし、中心静脈からの栄養分摂取など非経口的に養分摂取処置が開始されると、寿命は極端に短くなります。なぜでしょう。そこには消化器官特有の2つの理由が考えられます。

1つ目は、食物を消化し、栄養物を粘膜から吸収し血液に送り込む作用です。腸管を経由せずに直接静脈へ糖分や栄養物が入ってしまうと、消化器官の役目は必要なくなります。不要となった消化器粘膜を維持するための血液による養分補給はいらなくなります。したがって、栄養吸収を行っている粘膜上皮細胞の絨毛は萎縮し、壊れてしまいます。

2つ目の理由は、消化器官には常に膨大な数の細菌や異物が入ってくるため、腸管粘膜はそれらを的確に見極めて排除するか否かを判断する役目をしています。**粘膜免疫**研究により消化器粘膜の基底膜には、全身の免疫担当細胞の70～80%が集まっていることがわかっています。消化器粘膜細胞は、その表層にあるレセプターで消化管内に入ってきた病原細菌などの情報を収集し、基底膜にいる免疫担当細胞に伝えます。免疫機構は、その情報をもとに異物排除に最も適した**自然免疫**、そして**獲得免疫**の初動の準備を促します。経口的に食物が入る機会が減少すると、大量の免疫担当細胞を腸管基底膜に集めておく必要がなくなるため、基底膜は徐々に薄くなっていきます（**図20**）。免疫担当細胞の総数、特に免疫システムの中心であるT細胞が減少していきます（第4章, 6.）。

養分吸収と感染防御機構の最前線としての2つの重要な役割がなくなった腸管は、粘膜も基底膜も脆弱化してしまいます。その

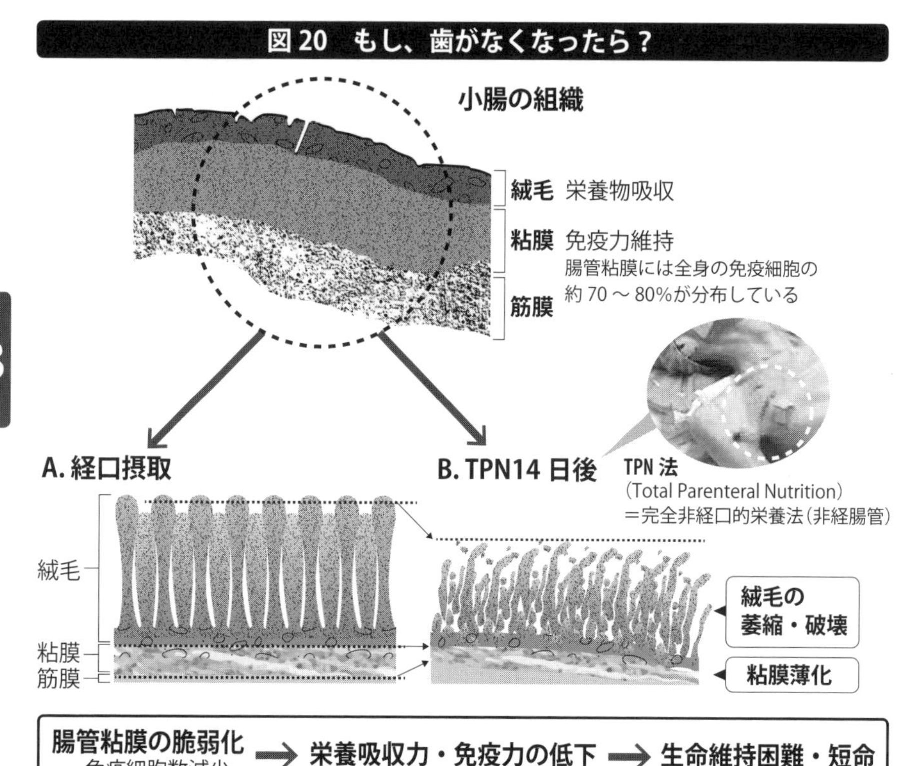

血管内に直接栄養が補給されると、栄養吸収の必要がなくなった腸管粘膜にさまざまな変化がおこる。さらに、多くの免疫細胞が存在する腸管組織の免疫細胞数が著しく減少する。口腔から物を食べることは、免疫学的にも極めて重要といえる。

結果、フレイルがさらに進み、免疫力低下がおこり寿命は極端に短くなります。口腔からものを食べるということは、単に栄養分を吸収するというだけでなく「**生命活動の根幹**」で、寿命を維持していくための最重要条件です。

第4章

免疫の仕組み

—命の基本、免疫力—

第4章

免疫の仕組み
—命の基本、免疫力—

1. 急性炎症と慢性炎症
—えんしょうは、火事も体も初期消火—

口腔の二大疾患は**う蝕**と**歯周病**ですが、この２つの疾患の最も大きな違いは血液の関与の仕方です。う蝕が血管の通っていないエナメル質という硬組織に発症する疾患であるのに対し、歯周病は歯肉、つまり、血液が豊富な歯周組織におこる**慢性の炎症性疾患**なのです。体のあちこちでおこる細菌感染と同様、免疫が深く関わっています。しかし、歯は口腔粘膜に植立した硬組織ですので、う蝕の発症には唾液中の抗体が関わる以外一般的な免疫機構が関係することはほとんどありません。

皮下や粘膜内に細菌が入るとその部位は血流が増え赤く腫れ、熱を持ち、時として痛みを伴います。これが**炎症**です。炎症は異物を排除し体を守るための重要な生理的な免疫反応です。数日間程度の軽度の炎症（**急性炎症**）では、さまざまな抗菌物質や生まれながらにして持っている抗体（**自然抗体**）、そして**補体**というタンパク質が働いて細菌を破壊します。**好中球**＊6 (p.66) という食菌細胞が炎症部位の組織内に大量に遊走し細菌を処理してしまいます。

このような初期的な免疫応答を**自然免疫**といい、日常的におこる軽い細菌感染は自然免疫のおかげでほとんど発症することなく収束してしまいます。これは、新型コロナウイルス感染症でも同じです（p.145 トピック）。針治療やお灸などは、この急性の炎症を利用して血流を促進して治療する理に かなった方法です（**図21**）。

しかし、大量の細菌が侵入したり、少量の菌でも長期間侵入し続けると炎症は慢性化（**慢性炎症**）するため、体内では急性炎症

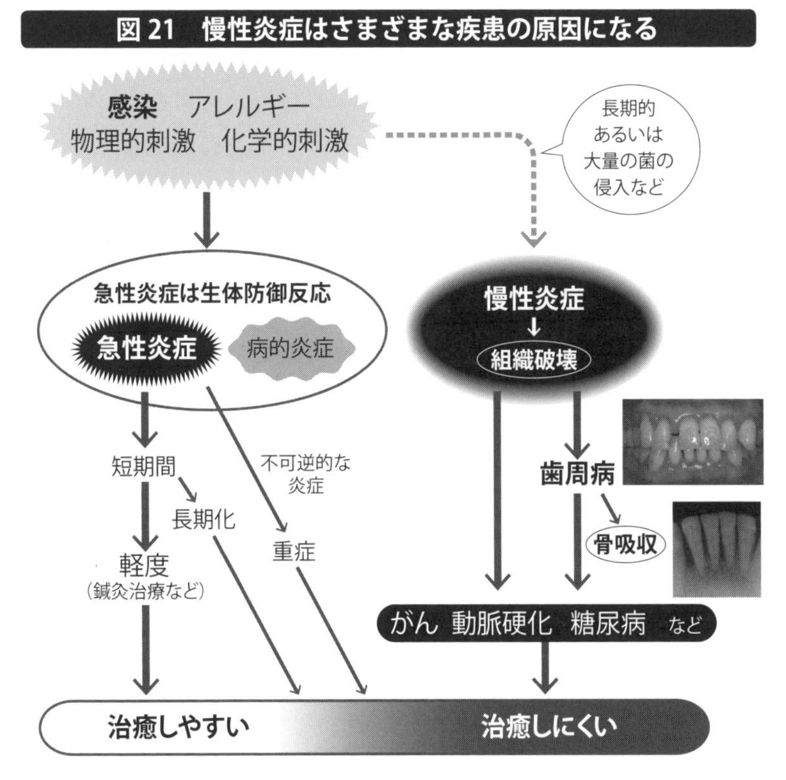

図21　慢性炎症はさまざまな疾患の原因になる

炎症は重要な生体の防御反応。しかし、長期間にわたり炎症が続くと、体にさまざまな悪い影響が出る。口腔では口腔細菌の組織内への侵入により、歯肉の炎症から骨吸収がおこる。

とは全く異なった反応がおこります。炎症部位のさまざまな細胞が出し続ける**炎症物質**や**炎症性サイトカイン**[*7 (p.98)]が好中球を過剰に遊走します（**図 22**）。好中球は生存期間が 2 ~ 3 日と短いので、好中球が死んで細胞が破壊されると、細胞内で細菌を殺すために働いていた酵素や活性酸素が細胞の外に出てしまいます。その結果、その酵素により自分自身の組織細胞を壊すことになります。また、**マクロファージ**という大型の食細胞が徐々に遊走しはじめ、免疫応答の中心となるＴ細胞が活性化し生体に本格的な免疫応答が開始されます。正常な免疫応答は感染防御に役立ちますが、炎症部位から長期間、過剰に免疫応答が刺激され続けると組織破壊ばかりでなく、全身にさまざまな悪影響が出てきます

図 22　炎症物質（炎症性サイトカイン）

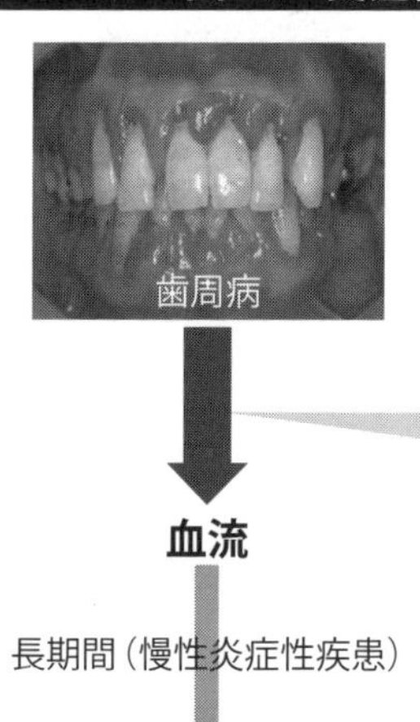

感染部位など免疫応答の場で産生される炎症を誘導・促進させる因子

IL-1：Mφ、B 細胞、好中球、線維芽細胞 他
IL-6：T 細胞、Mφ、B 細胞、線維芽細胞 他
IL-8：表皮細胞、血管内皮細胞、線維芽細胞 他
TNF-α：Mφ、B 細胞、NK 細胞 他
TNF-β：NK 細胞、キラー T 細胞 他
IFN-γ：T 細胞、NK 細胞
MCP-1：単球、血管内皮細胞、線維芽細胞

歯周病患者の歯肉内に高濃度に存在
（感染部位において高濃度）

膵臓（糖尿病）　血管（動脈硬化）
子宮（早産）　メタボリックシンドローム など

(第 6 章 , p.145 トピック)。さらに、細胞の異常増殖、つまりがんの原因ともなります。

2. 菌血症 ―細菌が血液の中に入ってしまったら―

炎症が続くと組織が徐々に破壊され、炎症部位から細菌が組織内に、そして血液中にも侵入します。血液は通常無菌ですが、ケガや歯周病など何らかの原因で血液から菌が一時的に検出されることがあります。これを**菌血症**といいます。歯科領域では、抜歯やスケーリング、そして歯周外科などの出血を伴う治療を受けた後、菌血症がおこります。そのため、3 日間は献血ができません (**図 23**)。そのような処置を受けなくとも、歯磨きや爪楊枝を使った後などに

図 23　献血と菌血症

献血をご遠慮いただく場合 (日本赤十字社HPより抜粋)

1. 特定の病気にかかったことのある方
2. 服薬、妊娠・授乳中、発熱等の方
3. エイズ、肝炎などのウイルス保有者、それと疑われる方
4. 輸血歴、臓器移植歴のある方
5. 6 ヶ月以内にピアス、入れ墨を入れた方
6. 一定期間以内に予防接種を受けた方
7. **出血を伴う歯科治療 (歯石除去を含) を受けた方**
   歯科治療に関しては、抜歯等により口腔内常在菌が血中に移行し、菌血症になる可能性があるため、治療後 3 日間は献血をご遠慮いただいています。
8. 海外旅行者、海外で生活をした方
9. クロイツフェルト・ヤコブ病の方、または疑われる方

細菌が血液から検出されるという報告があります。つまり、日常的に口腔の細菌は組織内や血液の中に入っているということです（**表4**）。健康な人では生体の防御機構が働き、数時間後には菌が血液から検出できなくなります。しかし、がんや糖尿病患者、そして高齢者などのように免疫力が低下している**易感染性宿主**などの場合は、血液内の細菌が組織やさまざまな臓器に定着し感染病巣を作ってしまいます。特に、心臓に何らかの異常がある乳幼児などの場合、口腔細菌が心臓や血管壁に付着し増殖すると命に関わる疾患をおこすことがあります。

表4　菌血症と歯性菌血症

1. 菌血症と歯性菌血症

1) 菌血症：血液中から一過性に菌が検出されること
2) 歯性菌血症：口腔疾患や歯科医療行為を起因とする菌血症

2. 歯性菌血症の頻度

A. 歯科医療行為

1) 抜歯（10 ~ 100 %）
2) 歯周外科（40 ~ 90 %）
3) スケーリング・ルートプレーニング（8 ~ 80%）
4) 歯面清掃（0 ~ 40 %）

W. Wilson et al., 2007

B. 日常的行為

1) 歯磨き（0 ~ 26 %）
2) 爪楊枝使用（20 ~ 40 %）
3) フロス使用（20 ~ 58 %）
4) 咀嚼（17 〜 51 %）

J. L. Gutierrez et al., 2006

口腔細菌は歯科治療だけでなく日常生活のさまざまな行為によっても組織内に侵入し、軽度の菌血症をおこしている。しかし、健康な状態ではこれらの菌は免疫担当細胞により短時間に処理され特に問題になることはない。

3. 自然免疫と獲得免疫が身を守る

少数、あるいは病原性の弱い細菌が皮膚や粘膜下に侵入した場合、好中球やマクロファージといった食菌細胞に貪食され細菌は短期間で消滅します。ですから、日常的におこる程度のほとんどの感染症は**自然免疫**という仕組みで防ぐことができます。新型コロナウイルス感染で症状が現れない不顕性感染者が多いのは、こ

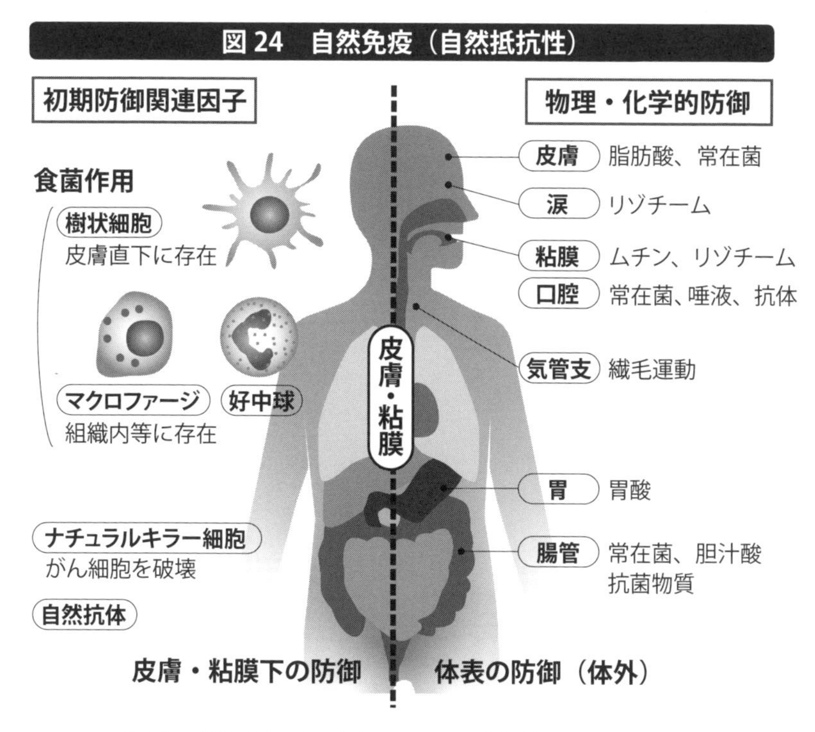

生まれながらに備わった自然免疫システムは感染防御に極めて重要。
日常的な感染はほぼ自然免疫により防ぐことができる。

の自然免疫によってウイルスの増殖が抑制されているか排除されたためと思われます。

自然免疫は異物侵入を防ぐための最前線で最初に働く防御システムです。これには皮膚や粘膜などの物理的防御因子と細胞から分泌される脂肪酸、粘液中のムチン、リゾチームなどの細菌を破壊する酵素やラクトフェリン、ディフェンシンなどの抗菌物質などの化学的因子があります。また、上皮細胞、組織内の**マクロファージ**、**樹状細胞**や**好中球**[*6]という細胞が働いています（**図 24**）。さらに、**補体**という細菌や細胞に穴をあけて殺してしまう一群の酵素が重要な役割をしています。自然免疫の中で感染後数時間から働き出す**早期誘導免疫**と呼ばれる反応では、炎症により**急性期タンパク**が産生され補体が働き始めます。そしてサイトカインにより好中球が炎症部位に集まり組織内の異物を破壊、貪食してしまいます。また、樹状細胞やマクロファージには **Toll 様レセプター**という受容体があり、異物の性状を見極め、連続しておこる特異

＊6 好中球

骨髄内で産生される白血球の一種で、感染細菌を貪食・殺菌する自然免疫における最も重要な食細胞の 1 つ。末梢血液内の白血球数の半数は好中球で、血液 1 μL あたり約 2,000 ~ 7,500 個程度存在する。また、脾臓や肝臓に大量にプールされており、感染により炎症部位に大量に遊走してくる。ブドウ球菌やレンサ球菌などの化膿細菌の殺菌効果は強いが、結核菌などの細胞内で増殖する菌の感染にはあまり効果は期待できない。感染症、炎症、急性出血、慢性骨髄性白血病、中毒、悪性腫瘍などにより増加する。急性白血病や再生不良性貧血などではその数が減少し、感染症をおこしやすくなる。

図 25　主な免疫担当細胞とその役割

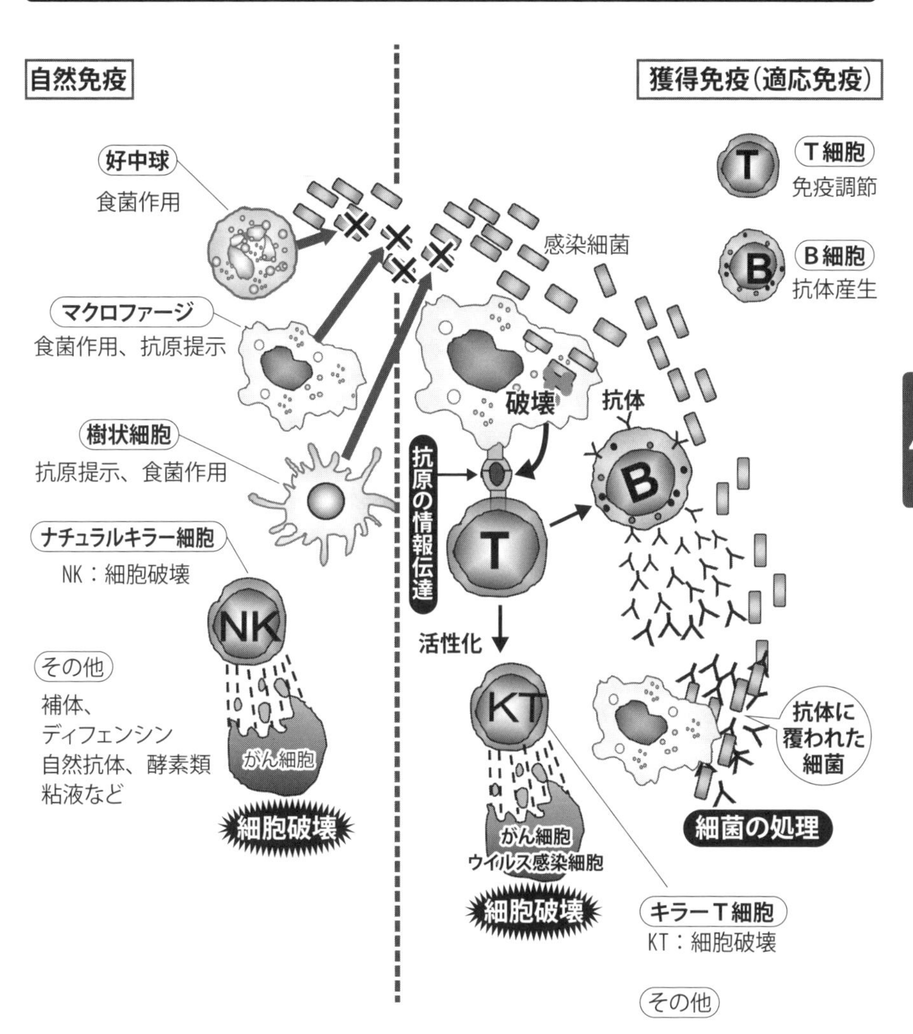

自然免疫により防ぐことができなかった微生物などに対しては、マクロファージなどから感染微生物の情報を受け取ったＴ細胞がＢ細胞に抗体を産生させる（体液性免疫）。また、がん細胞やウイルス感染細胞を破壊するキラーＴ細胞などを活性化させる（細胞性免疫）。

免疫応答の担当細胞に情報を送っています。その結果、生体防御の主役である**獲得免疫**が誘導されます。

先に述べたように、日常的な感染は自然免疫応答でほぼ完全に防ぐことができます。しかし、病原性の強い細菌や弱病原性菌でも大量の細菌が持続的に侵入した場合は事情が異なってきます。**獲得免疫**という非常に強力な免疫反応が動き出します。獲得免疫は、異物に特異的に結合する**抗体**というタンパク質が中心的に働く**体液性免疫**とマクロファージやキラーT細胞といった細胞障害性能力のある細胞によってがんやウイルス感染細胞などを破壊する**細胞性免疫**があります（**図25**）。

獲得免疫は自然免疫と違って、処理した異物に対して**特異的**に処理すると同時にその異物の特徴を**記憶**します。そして、同じ微生物の再感染に対して極めて短時間で動き出し、感染を防ぐことができます。この現象を利用して行われるのがワクチン接種で、極めて有効な感染防御法です。

4. 免疫の主役T細胞

免疫の最も重要な役割は、自分の体を構成している成分や細胞（**自己**）と体内に侵入した異物（**非自己**）を判別し、異物を排除することです。体液性免疫は抗体によって細菌やウイルスの細胞への付着を防止したり、毒素を無毒化するなど比較的小型の異物排除を担当します。一方、細胞性免疫は細菌より大きなカビやがん細胞、結核菌などが寄生している細胞、そして新型コロナウイ

図 26　T 細胞の胸腺内分化

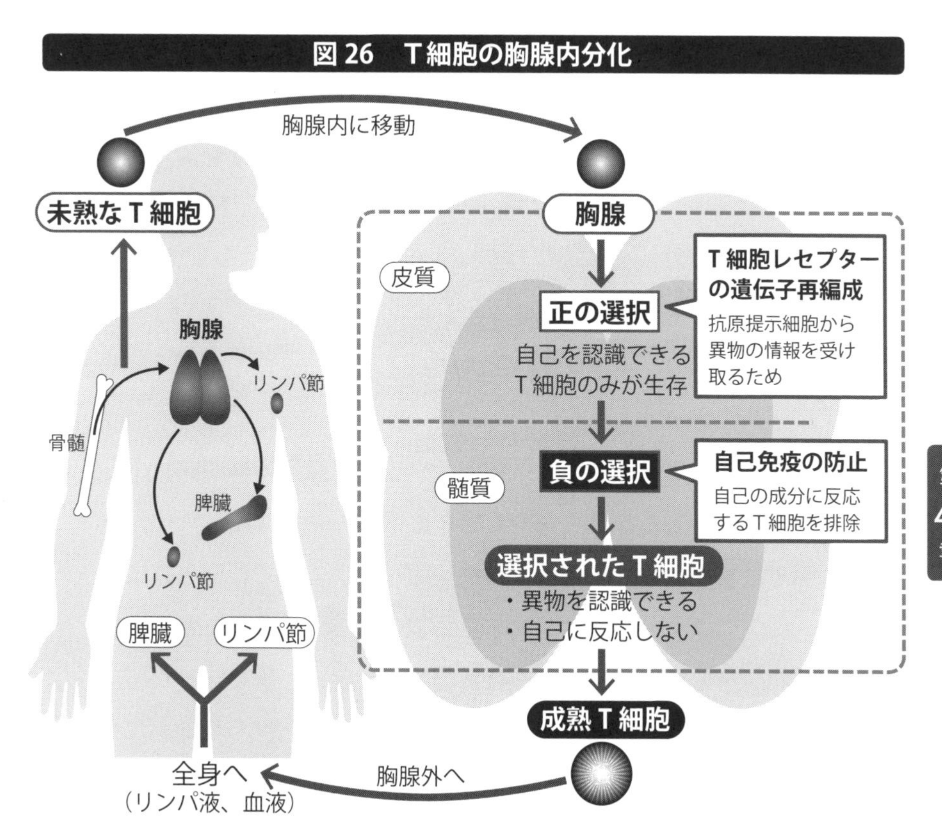

ルスを含めたウイルス感染細胞を細胞ごと破壊する役目を担当しています。いずれの免疫も免疫細胞の一種である **T 細胞**によってコントロールされています。T 細胞は骨髄で作られ、胸腺という組織内でさまざまな細胞の助けを借りて分化と増殖を繰り返し成熟してゆきます。その間に自分の体を作っている細胞や成分（**自己**）とそれ以外のもの（**非自己**）を区別、認識する能力を獲得します（**図 26**）。免疫応答においてこの**自己認識**が最も重要で、これが破綻すると、免疫応答により自分の細胞や組織が破壊されて

しまう**自己免疫疾患**（第４章，６.）になってしまいます。

胸腺から血液内に出たＴ細胞は、粘膜や皮下組織内にタイルを敷き詰めたように存在する樹状細胞やマクロファージから異物の情報を入手し、最も効果のある排除法を始動させます。したがって、Ｔ細胞は獲得免疫応答の主役といっても過言ではありません。

5. 口腔の感染防御は万全

口腔には日常的に外界から細菌やウイルスなどの微生物、そして微生物に汚染された大量の食物が直接入ってきます。消化管内に嚥下された大部分の細菌は胃酸や胆汁酸によって殺菌されますが、口腔には歯が植立しているため強い酸で菌を殺すことはできません。そのため、口腔はこれらの状況に対応し体を守るためにさまざまな仕組みを進化の過程で獲得してきたと思われます。

口腔粘膜はレンガを積み重ねたような**重層扁平上皮**という強固な組織で、細菌は容易に組織の中に侵入できません。また、粘膜細胞は常に剥がれ落ちているので、せっかく粘膜上皮細胞に付着した細菌も細胞と一緒に剥がれ落ちてしまい、組織内に侵入するチャンスがなくなってしまいます。口腔粘膜組織は修復能力が高く、簡単な傷なら短期間で治してしまいます。さらに、粘膜上皮細胞表面には、口腔内に入り込んだ微生物の情報をいち早くキャッチし免疫担当細胞に伝達するためのレセプター（**Toll 様レセプター**）が発現しています。

しかし、最も重要な役目をしているのは毎日約 1.0 ~ 1.5 L も分

図 27　口腔の感染防御機構

泌される**唾液**です（p.35 **表 1**）。感染予防には、唾液中に含まれるさまざまな抗菌物質や抗体が役立っています。個々の抗菌物質は細菌を破壊するほど強い力はありませんが、細菌の発育を抑制する力は十分に備えています。また、唾液腺からは**分泌型 IgA 抗体**（**S-IgA**）が分泌され、歯肉溝からは歯肉溝浸出液中に感染防御の主役である **IgG や IgM 抗体**そして好中球や補体が漏出しています（**図 27**）。粘膜経由の刺激により S-IgA だけでなく血清中の IgG 抗体産生も促進されることがわかりました。粘膜免疫ワクチンは、

感染予防に極めて有効な免疫法として大きな注目を集めており、さまざまな免疫法の研究が精力的に行われています。

このように、口腔は日常的に外界からの感染や汚染にさらされるため、微生物の侵入を防止するために組織学的にも免疫学的にも強固な組織として進化したと思われます。一方、歯周病原菌は、一般的な病原性菌に比べ、病原性は比較的弱い細菌の集団です。では、なぜ多くの人が歯周病になるのでしょう？答えは簡単です。口腔は、加齢に伴って低下する全身の免疫力の変化が影響しているからです。口腔を全身からかけ離れた器官と考えている多くの方が多いようですが、口腔粘膜組織内の血液も全身を循環している血液も全く同じ血液です。つまり、血液を介して「**口腔の免疫情報は全身に伝わり、全身の免疫情報は口腔に伝わる**」のです。したがって、全身の免疫力の低下は、すなわち、口腔の免疫力、感染防御力の低下を意味します。

6. 加齢と共に低下する免疫力

獲得免疫の中心であるＴ細胞は、その分化・成熟に胸腺が深く関わっていることはすでにお話ししました。**胸腺**は胸骨の後ろで左右の肺の間にある組織です。思春期ごろまで発達し 10 歳前半で最大（30 ~ 40 g）に達し、20 歳代から徐々に萎縮が始まり、以後年齢と共に脂肪組織の割合が増えてゆきます。Ｔ細胞の分化・成熟に関わる部位（皮質と髄質）は、70 歳代ではピーク時の 30% 程度まで縮小してしまいます（**図 28**）。Ｔ細胞はその皮

図 28　加齢に伴う胸腺の変化

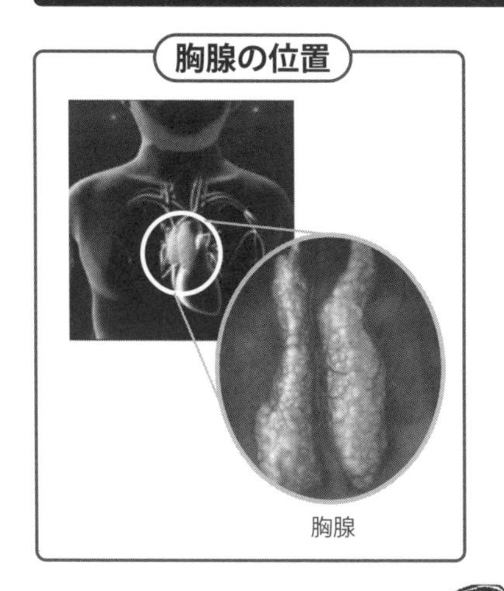

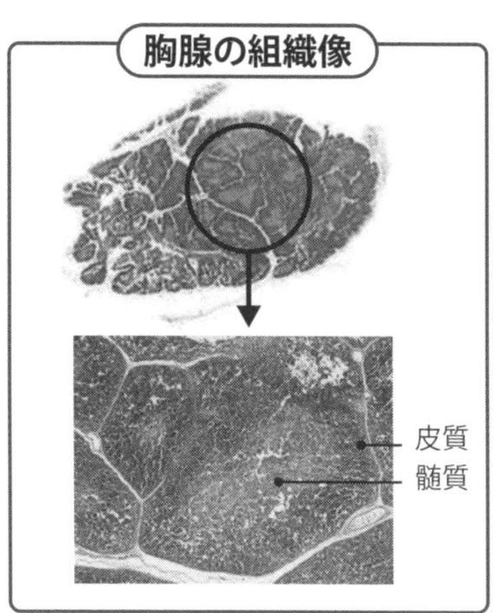

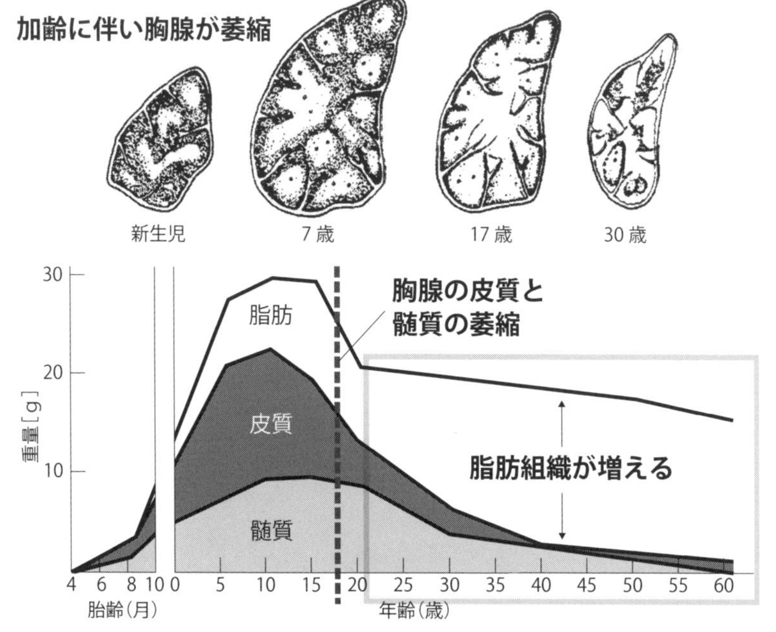

免疫をコントロールするＴ細胞は胸腺内で自己と非自己を見分ける能力のある細胞だけが選別される。しかし、加齢と共にその機能は低下し、免疫調節にアンバランスが生じる。
その結果、免疫全体の能力が低下する。

質と髄質を通過する過程で自己か非自己かを的確に識別する能力の有無をチェックされます。識別の力が不十分なＴ細胞は胸腺内で死滅し、血液内に出てくることはありません。優秀なＴ細胞を選別する胸腺内の皮質と髄質部分が縮小するということは、自己と非自己を的確に認識する能力のあるＴ細胞の数が減少し、識別力が低下することを意味します。その結果、異物認識能力の低いＴ細胞が全身を循環し始め、正常な免疫機能のバランスに狂いが生じてきます。

体内で毎日数千個はできるといわれるがん細胞を的確に排除してきた細胞性免疫の機能も低下し、がん細胞を見逃してしまいます。細菌に効果的に結合する性能の良い特異抗体産生を行ってきた体液性免疫の機能も低下してゆきます（**図29**）。免疫全体をコントロールするＴ細胞の総数が減少し自己認識能が低いＴ細胞が増える一方で、抗体を作るＢ細胞数に変動はありません。その結果、免疫応答のバランスが崩れ、役に立たない抗体や自分の体の組織や細胞に結合し自己の細胞を破壊する抗体ができるようになってしまいます。これを**自己免疫疾患**といい、代表的な疾患として関節リウマチ、慢性甲状腺炎、肝炎や重症の筋無力症などがあり、その多くは治療困難です。中高年の女性に多発する**シェーグレン症候群**は口腔の代表的な自己免疫疾患で、唾液腺が萎縮してしまうため**口腔乾燥症**となります。**オーラルフレイル**（第３章）がおこり、食欲の低下による全身的な**フレイル**症状の進行にも関わってきます。

この免疫バランスの狂いは40歳前後から顕著となってきます。

図 29　加齢に伴う免疫応答の変化（イメージ）

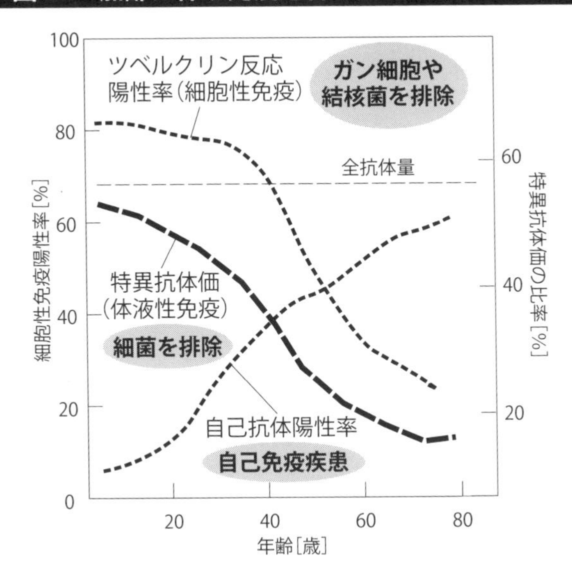

加齢と共に生じた免疫機能のアンバランスにより、特異性の高い抗体産生能力が低下する。しかし、抗体産生量に変化がないため自分の細胞に反応する抗体が増えてくる（自己免疫疾患）。また、がん細胞などを的確に排除してきた細胞性免疫能力も低下するため、がんの発症率が上昇する。

中年以降にがんの発症率が上昇し、さまざまな感染症、そして自己免疫疾患が増加するのは胸腺の萎縮によるT細胞の自己と非自己の識別能力低下が原因といえます。

歯周病患者も中高年以降に増加します。口腔も全身の免疫が反映していますので、それまで歯周組織内に侵入した細菌を的確に排除してきた口腔の防御力も加齢と共に低下してゆきます。その結果、歯周組織に侵入した細菌の病原性の総力が宿主の免疫力の総力を上回り、炎症が長引き**歯肉炎**になります。さらに口腔ケアが不十分で口腔内の細菌数が増え、組織内に侵入する菌量が増加すると炎症は慢性化し、重症化するため組織破壊がおこります。われわれの骨は、常に破骨と造骨が同じレベルで行われて骨組織の健康状態を維持しています。しかし、炎症が慢性化すると**破骨細胞**の数が増え、活動が活発になるため破骨量が造骨量を上回ってしまいます。その結果、歯をしっかり固定していた**歯槽骨の骨吸収**がすすみ、歯の動揺がおこり、最終的には歯が抜けてしまいます。これが**歯周炎**です。加齢による免疫力の低下は防ぐことができません。したがって歯周病予防に重要なことは、口腔ケアにより歯垢量を減らし炎症を抑え、同時に全身の健康に気を配り健康な免疫機能を維持することが最も大切です。

第5章

口腔の感染症

—そっと静かに、そして…確実に—

第5章

口腔の感染症
—そっと静かに、そして…確実に—

1. 口腔の二大感染症と「8020運動」
—食は命、歯は財産—

う蝕と**歯周病**は口腔の二大感染症で、代表的な**内因性感染症**です。いずれも初期症状は軽く、重症化するまでに長期間かかります。命に係わる感染症ではないと考えられているため多くの場合放置されがちです。その結果、齲窩（うか）の拡大から歯髄炎をおこし、歯を抜くことになります。また、歯周病では**歯肉炎**から歯槽骨の吸収がおこり**歯周炎**に進行するなど重症化する傾向にあります。

う蝕や歯周病により永久歯を失うことは、口腔の健康に影響するばかりでなく、全身の健康や日常生活にも影響を及ぼし著しい生活の質の低下がおこります。80歳の高齢者を対象とした調査結果から、歯の喪失が少なく、よく噛める人はQOLおよび**日常生活活動**（**Activity of daily living**）が高く、運動、視聴覚機能が優れていることが明らかになっています。そのため、日本歯科医師会を中心に80歳になっても20本以上の自分の歯を保とうとする「**8020運動**」が提唱、推進されてきました。2011年の調査結果では 8020 達成者が 38.3% あり、2017 年では 51.2% まで増加しました（厚生労働省「歯科疾患実態調査」）。8020 達成者の数は現在でも増え続けています。「**健康日本 21**」の目標であった 2010 年までに「8020 達成者を 20% 以上にする」ことが達成できたのは、国民と歯科医療従事者、両者の努力によるものだと思います。さらに第 2 次「健康日本 21」では、2022 年までに 60 歳で 24 本以上歯のある人を 80% 以上に、8020 達成者を 60% 以上にすることを目標にしています。

第 2 次「健康日本 21」の目標達成も夢ではないと思っています。なぜなら、う蝕と歯周病という感染症は正しい知識と予防法を実施することにより確実に防げるからです。

2. う蝕から歯周病へ ―はなしにならない話―

歯を失う主な原因はう蝕から歯周病へと変わってきました。1970 年代、う蝕は国民病といわれ成人の 80% 以上がう蝕になっていました。その後、う蝕原因菌と発生のメカニズムが解明されたおかげで砂糖の摂取量が減り、歯磨き習慣が定着したことによりう蝕罹患者数は著しく減少しました。その結果、永久歯喪失の主な原因はう蝕から歯周病へと変わってきました。

歯周病は歯周組織に発生する疾患群の総称で、その原因、発症時期や臨床症状によりいくつかのグループに分類されます。歯肉に炎症がみられる**歯肉炎**、そして歯肉の炎症と歯槽骨の吸収がみられる**歯周炎**に大別されます。2005 年の調査では、う蝕による永久歯の喪失は約 32%、歯周病は 42% と逆転しました（**図 30**）。

歯周病の患者数は約 398 万人、男性 162 万人、女性 236 万人と女性が多いようです（2017 年 日本生活習慣予防協会）。前年より 66 万人増えています。2011 年の調査では、歯周病の所見のある人の割合は若年齢層で 35%、40 ~ 69 歳で約 70% に達します。健康な歯肉の歯肉溝の深さは約 2 ㎜程度ですが、歯石がたまり深さが 4 ㎜以上（**歯周ポケット**）になると**歯周病**と判断されます（**図 31**）。別な統計資料では、4 ㎜以上の歯周ポケットを有する 25 ~ 34 歳の年齢層では約 32.4% 程度、年齢と共にに増加し、45 ~ 54 歳では 49.5%、65 ~ 74 歳では 57.5% の人に歯周病の所見が認められます（厚生労働省 HP）（**図 32**）。なお「国民の 8 割が歯周病」といったうたい文句をよく耳にすることがありますが、これは「健全」以外の割合を指しており、診査した

図 30　歯を失う理由

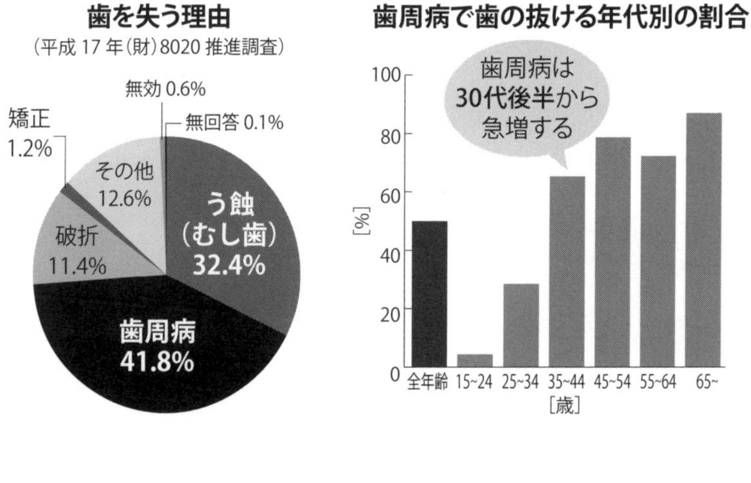

歯を失う理由
（平成 17 年（財）8020 推進調査）

理由	割合
う蝕（むし歯）	32.4%
歯周病	41.8%
破折	11.4%
その他	12.6%
矯正	1.2%
無効	0.6%
無回答	0.1%

歯周病で歯の抜ける年代別の割合

歯周病は30代後半から急増する

[%]　0　20　40　60　80　100
全年齢　15~24　25~34　35~44　45~54　55~64　65~
[歳]

部位（歯）のすべてが「健全」と判定された場合のみを指しています。たとえば少しでも歯石がついている場合には健全と評価されません。したがって「8 割が歯周病」というのは、ウソではないものの、やや大げさな捉え方といえます（厚生労働省　e- ヘルスネット）。

いずれにせよ、このようにして成人が歯を失う原因はう蝕から歯周病へと変わってきました。世界的に見ても最も感染者の多い感染症は歯周病で、日本においても**歯周病は現在の国民病**といってよいと思います。

第5章

図 31　歯周病の判断（口絵カラー写真参照）

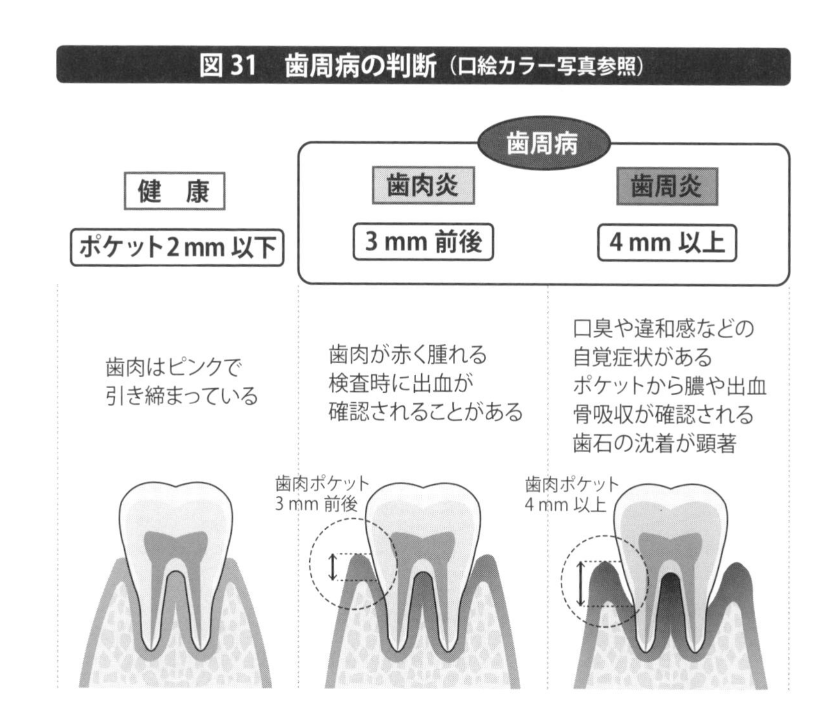

図32　残存歯の増加に伴い、歯周病患者が増加

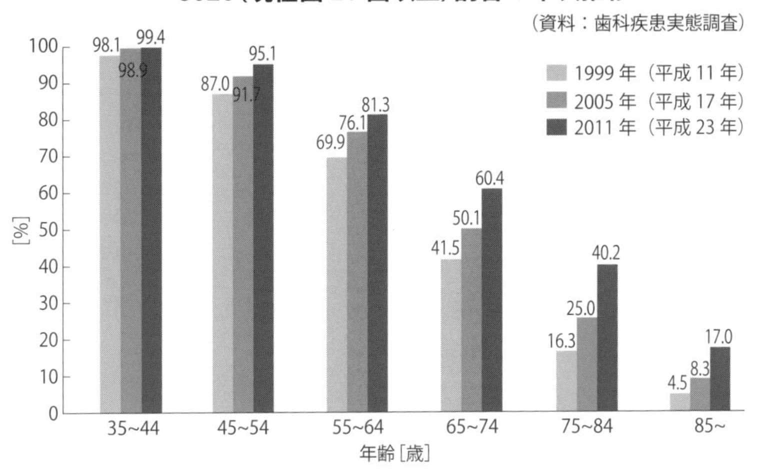

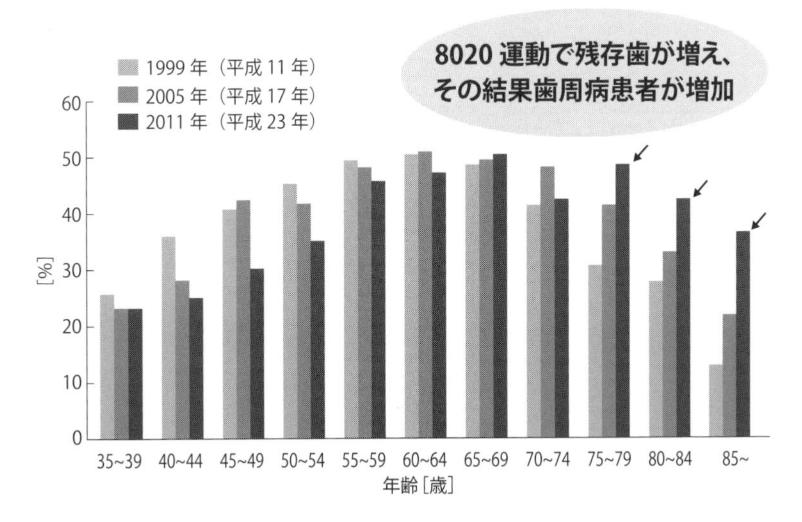

注 1）平成 11 年と平成 17 年以降では、1 歯あたりの審査部位が異なる。
注 2）被調査者のうち対象歯をもたないものも含めた割合を算出した。

3. う蝕 ― 一瞬で決まる印象、歯と笑顔―

う蝕は、口腔内の細菌が砂糖などの糖質から作った酸によって、エナメル質が溶解（**脱灰**）されておこる歯の疾患です。弱アルカリ性である唾液と唾液中のカルシウムイオンが軽度の脱灰を回復させることにより**再石灰化**がおこります。しかし、脱灰と再石灰化の均衡が崩れるとう蝕となります。特に萌出後数年の乳歯はエナメル質の石灰化度が低いため、う蝕（**乳歯う蝕**）になりやすいので注意が必要です。永久歯の歯冠部に発生するう蝕は未成年に多くみられますが、う蝕予防教育が進み糖質依存性のう蝕は減少してきました。しかし、高齢化と残存歯数の増加に伴い、高齢者の歯根部に多発するタイプのう蝕が増えてきました。

永久歯のう蝕には、清掃しにくく食物残渣がたまりやすい咬合面の細い溝（小窩裂溝）に多くみられる**小窩裂溝（しょうかれっこう）う蝕**、歯頸部や隣接面にみられる**平滑面う蝕**、そして、歯周ポケットが深くなり、セメント質部分から脱灰が始まる**歯肉縁下う蝕**があります。また、高齢者で歯肉が退縮し、歯根面が露出することによって発生する**根面（こんめん）う蝕**があります。

1）う蝕の原因菌

① う蝕の原因菌決定までのうら話

現在、う蝕はミュータンスレンサ球菌（*Streptococcus mutans*：以降ミュータンス菌と表記）が原因であることを多くの人が知っ

第 5 章

います。しかし、それがわかるまでに200年もの長い歴史があります。う蝕の原因菌は**乳酸菌**だと長い間信じられてきましたが、今では完全に否定されています。なぜ乳酸菌が原因菌と考えられてきたのでしょうか？なぜ、乳酸菌はう蝕の原因菌とは言えないのでしょうか？

人類が初めて細菌を観察したのはオランダのガラス職人レーベンフック（A. van Leeuwenhoek）です。彼は自作の顕微鏡で歯垢中にさまざまな形や運動性のある生物がいることを観察し、イギリスの科学雑誌「Royal Society of London」に報告しています（1684）。ドイツの細菌学者コッホ（R. Koch）のもとで口腔細菌の研究に従事した歯科医のミラー（W. D. Miller）が、「う蝕は唾液中の細菌が産生する酸による歯の脱灰である」と唱え、諸説あったう蝕の原因論に終止符を打ちました。これは「**化学細菌説**」として長年支持されてきました。その結果、酸産生性の強い乳酸菌をう蝕の原因菌とする考えが1950年後半まで続きました。

このような状況下で1924年にクラーク（J. K. Clarke）がヒトのう蝕病巣から特徴あるレンサ球菌を分離して、ミュータンス菌と命名し、う蝕の原因菌であると主張しました。しかし、支持されませんでした。その後、1954年にオーランド（F. J. Orland）らが砂糖含有率50%のう蝕誘発飼料で無菌ラットを用いて、砂糖と細菌との関係を明らかにしました。ミュータンス菌を感染させ、う蝕誘発性飼料で飼育すると重症のう蝕が形成されました。しかし、無菌動物ではいくら砂糖の入ったエサを与えても全くう蝕はできませんでした（**図33**）。このようにして「**う蝕は細菌感**

第5章

図 33　ミュータンス菌のう蝕原性実験

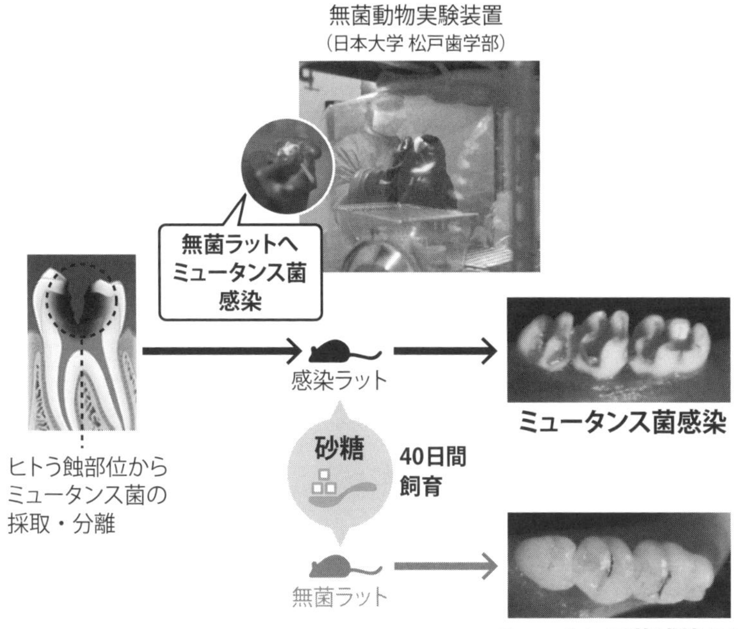

染症である」ことが証明されました。その後、アメリカの研究グループはハムスターを用い同様の研究を行い、う蝕の原因菌は歯垢内のレンサ球菌であることを唱ました。その結果、ようやく世界的に乳酸菌説が否定され、1970 年代にクラークが報告したレンサ球菌、ミュータンス菌が注目されるようになりました。

余談ですが、乳酸菌がう蝕の原因菌だと信じられていた時代、育児期間中であったお母さん方は小児のう蝕を心配し、乳酸菌飲料やヨーグルトの買い控えがありました。その結果、大手の乳酸菌飲料やヨーグルト生産会社は大幅に売り上げが落ち、大打撃を受けました。それらの会社の支援を受け、われわれの研究グループを含め多くの歯科大学でう蝕原因菌研究や非う蝕甘味料の開発が進みました。その時得られた知識をもとに開発された非う蝕甘味料は、今も多く市場に出回っています。

② う蝕の犯人は乳酸菌？

なぜ、原因菌究明にこれだけ長い時間がかかったのでしょう？それは、ミラーが唾液中の菌に注目したためと考えられます。また、乳酸菌が原因菌でないとする決定的な理由は、乳酸菌は自力で歯に付着する能力がないことです。原因菌と特定するには、健康な歯面でう蝕病巣がゼロの状態からう蝕が形成されなければなりません。したがって、乳酸菌はう蝕原因菌とはいえません。しかし、乳酸菌は大量の**乳酸**を作るためエナメル質を溶かします。エナメル質が少し脱灰されたような軽いう蝕病巣に乳酸菌が入り込んだ場合、う窩を拡大し重症化します。この点は注意が必要です。

2） う蝕はどのようにしてできるのか？

う蝕は歯、細菌、糖（主に砂糖）そして、時間経過の４つの因子がそろった時におこります（**図 34**）。う蝕は特定の場合を除いて、外因性感染症のように短期間に発症することはありません。感染症としては発症するまでにやや時間がかかるため、生活習慣病に分類されています。しかし、「感染発症における宿主と微生物の力関係」の図式から考えてもわかるように、これも明らかに間違いで「**う蝕は感染症**」です。

図 34　う蝕発症に関係する因子

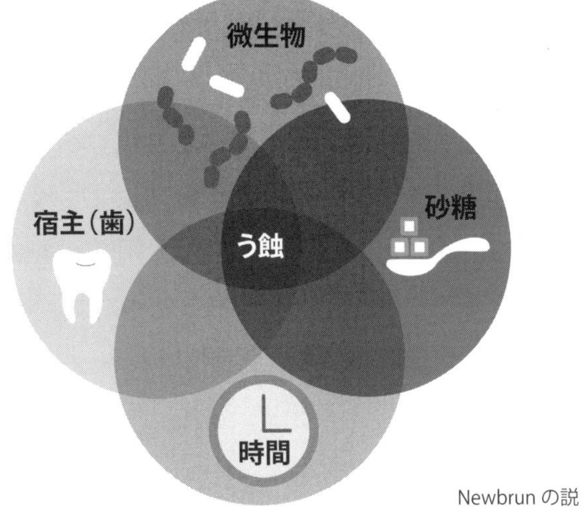

Newbrun の説

う蝕はこれら4つの条件がそろったときに発症する。特に、砂糖の摂取量が大きな問題となる。

ミュータンス菌は歯の表面に吸着した唾液由来のムチン層に付着するさまざまな構造を持っています。また、菌の細胞壁を構成するタイコ酸という成分も付着に関与しています。さらに、砂糖を分解して得たブドウ糖（グルコース）をつなぎ合わせて水に溶けにくいブドウ糖の重合体・グルカン（**不溶性グルカン**）を合成する**グルコース転移酵素**（**GTF**）をもっています。GTF はグルカンを合成するだけでなくミュータンス菌の付着に関わっています。付着したミュータンス菌は不溶性グルカンにより強固な**バイオフィルム**を作り歯の表面にしっかりと**固着**し、唾液の洗浄作用や咀嚼圧力にも耐えることができます。

ミュータンス菌はさまざまな糖を分解して発育・増殖のエネル

図 35　ミュータンス菌によるう蝕のでき方

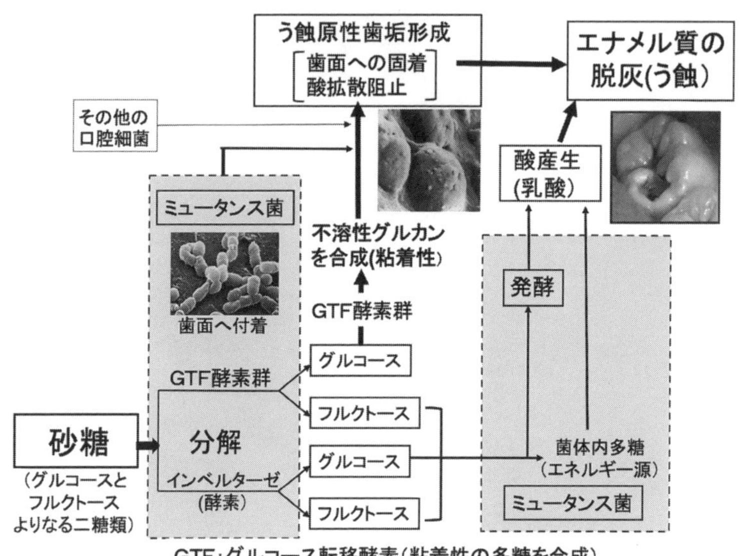

ギーとすることができます。代謝産物として大量の**乳酸**を産生するため、歯の表面の pH はエナメル質を溶かす**脱灰臨界 pH5.5** 以下に低下します。一時的なエナメル質の脱灰は、歯の**再石灰化**や唾液の洗浄作用、緩衝作用により元に戻りますが、歯の表面にできたバイオフィルムによりそれらの修復作用は阻害されてしまいます（第 2 章 , 2., 4), ② ③)。その結果、乳酸が歯の表面近くに長時間停滞するため継続的なエナメル質の脱灰がおこります。歯の表面でおこる脱灰、再石灰化の繰り返しの過程で、酸による脱灰量が勝った場合にう蝕が発症します（**図 35**)。

強い酸は、多くの細菌にとって為害作用があり発育は阻害されますが、ミュータンス菌は低い pH 環境でも発育することができます（**耐酸性**）。歯垢は多種類の細菌が凝集して形成されたバイオフィルムですが、ミュータンス菌は生き残りと勢力拡大のため酸を産生し他の菌を排除します。その結果、当初は少数派であったミュータンス菌が砂糖の摂取量に比例し増殖することによって**う蝕原性歯垢**ができあがってしまうのです。したがって、う蝕を予防するには、まず砂糖の摂取量を減らし、歯磨きを励行しバイオフィルムの形成を抑えることが重要です。

乳幼児期のう蝕は子供の心身の発達に大きな影響を与えます。また、子供時代にう蝕があると、原因菌であるミュータンス菌は大人になっても口腔に長く住み続けます。乳歯はエナメル質の層が薄く簡単にう蝕になるばかりか重症化し、時として、全身疾患の原因にもなります。また、噛み合わせや永久歯の歯列形成にも影響がでて一生悩むことになります。したがって、小児時期のう蝕予防はとても大切です。

哺乳期を過ぎても哺乳瓶でジュースや清涼飲料をお子さんに与えている親御さんを見かけます。これは小児う蝕の大きな原因になります（**哺乳びんう蝕**）。乳酸菌や砂糖の口腔内での停滞時間が長くなるため、う蝕ができやすい口腔環境を自ら作り出しているようなものです。う蝕のでき方を理解した上で、このような行為はぜひとも避けていただきたいと思います。

3）う蝕と全身疾患

歯は表面のエナメル質、そしてその下にある**象牙質**および神経や血管が入っている**歯髄**でできています（**図 36**）。エナメル質はハイドロキシアパタイトという緻密なカルシウムの結晶で非常に硬い物質です。しかし、その下にある象牙質は有機質が豊富で、**象牙細管**という直径 1 ~ 3 μm 程度の無数の穴が開いていま

図 36　感染性心内膜炎の主な原因菌は口腔細菌

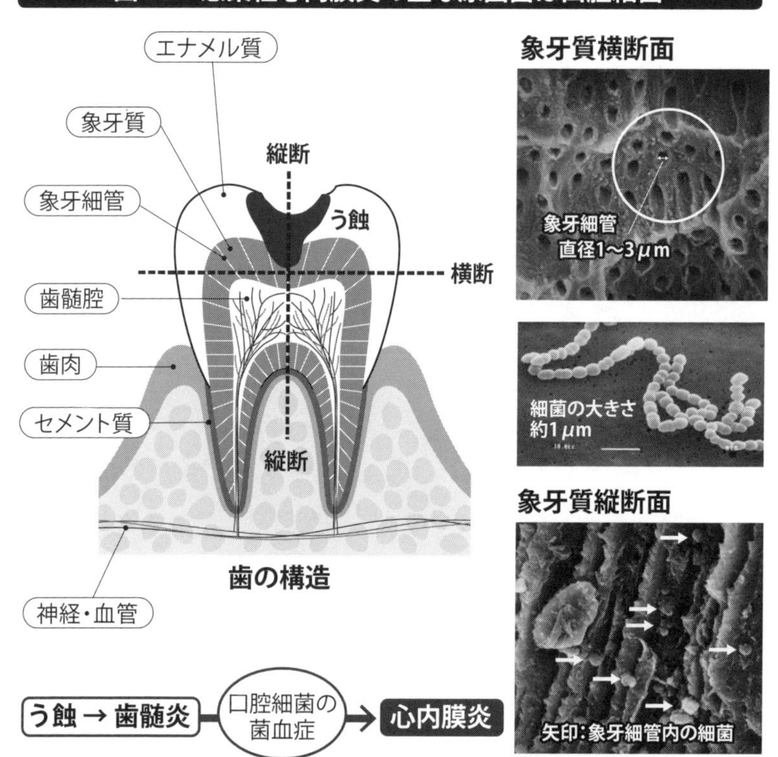

う蝕によりエナメル質が脱灰されると、その下にある象牙細管から歯垢細菌が血管内に入り心臓へ。口腔細菌は亜急性心内膜炎の最大の原因菌である。

す。歯垢形成細菌で最も多いレンサ球菌の直径は約 1 ㎛、つまり 1/1,000 ㎜程度の大きさです。う蝕によりエナメル質が破壊されると歯垢内の細菌は象牙細管の中に入り込み、歯髄内へ侵入し**歯髄炎**をおこします（**図 36**）。この段階で強烈な痛みを感じますが、放置されると痛みは和らぎ、細菌の侵入は進み歯の先端に感染病巣（**根尖病巣**（こんせんびょうそう））を作ってしまいます。エナメル質の軽度のう蝕は簡単に治療できますが、**歯髄炎**をおこすと神経や炎症をおこした歯髄内の組織を取り除く必要があります。治療が長引き、場合によっては大切な歯を抜くことになってしまいます。

根尖病巣を放置すると病巣内の細菌は血液によって心臓や全身へ運ばれ、思いもよらない疾患の原因になります。代表的なものとして亜急性の**感染性心内膜炎**や**関節リウマチ**、**皮膚炎**などがあります。これらの疾患で最も多い原因菌は歯垢内のレンサ球菌ですが、近年菌の検出技術が進み歯周病の原因菌も多種類見つかっています。原因菌が歯髄炎由来のものか歯周病が原因なのか明確な区分は困難ですので、最近はう蝕と歯周病による感染をまとめて**歯性病巣感染**と呼ぶようになりました。医科で治療を続けているにも関わらず皮膚炎や関節リウマチなどの症状が一向に改善しなかったが、虫歯や歯周病を治療したらこれらの病気が治った例がしばしば報告されています。これは原因となる細菌の供給源である歯を除去する必要があったためです。

第5章

4. 歯周病 ―歯なしへの、最短距離は歯周病―

1）歯周病の原因 ―原因はとても複雑―

8020運動の成果で20本以上歯のある人の数が増えてきました。しかし相反するように、歯周病の患者数が増えてきてしまいました。なぜでしょう？歯周病の最大の原因は自己流のブラッシングで歯肉溝内の歯垢をうまく取り除けていないためです。

図37　歯周病発症の背景は…

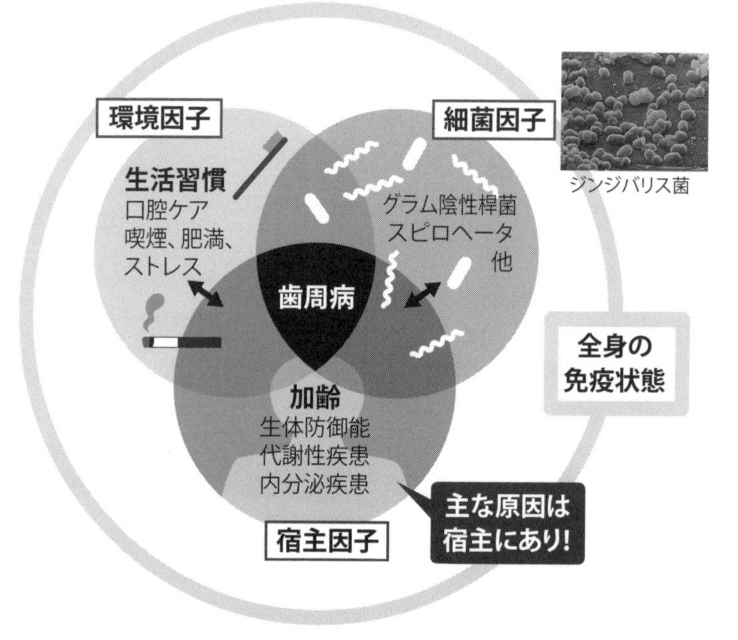

歯周病はさまざまな原因によって発症する。しかし、加齢による免疫能力低下と細菌の影響が大きい。したがって、口腔ケアにより細菌数を減らすことが重要。

歯周病の原因は非常に複雑です。まず、直接的な原因である**細菌関連の因子**、そして背景には、いわゆる修飾因子として免疫応答を中心とする**宿主の因子**、さらに喫煙や歯磨きなどさまざまな**生活習慣・環境の因子**が関係しています（**図 37, 表 5**）。したがって歯周病予防と治療には単に口腔内の細菌除去だけでは不十分で、全身の健康維持や生活習慣そのものを見直すことが求められます。口腔の健康維持には、その人の生き方や健康に対する考え方など広い意味での**人生と教養**が深く関わっているといえるのではないでしょうか…。

① 細菌因子 ―こんなに多彩な原因菌―

何度もお話ししてきましたが「**歯周病は感染症**」です。細菌関連因子としては、口腔内の細菌によって作られる**歯肉縁上**と**歯肉縁下歯垢**が原因です（第 2 章 , 2., 4), ①)。歯肉縁上歯垢の蓄積

表 5　う蝕と歯周病の決定的な違い！

関与因子	う蝕	歯周病
1. 原因菌	少ない（1 菌種）	複数（多数）
2. 誘導因子	少ない （砂糖、多糖合成酵素）	複雑 (内毒素、酵素、菌体成分他)
3. 防御・抵抗因子	少ない（再石灰化）	極めて複雑（免疫応答）
4. 口腔環境因子 その他	少ない（唾液など） 生活・食習慣など	多数（免疫応答） 多数（基礎疾患、加齢、 遺伝的背景、生活習慣など）
5. 治療のしやすさ	予防も治療も比較的容易	**治療は困難、予防が BEST!** **（原因究明が超複雑）**

図 38　歯肉縁下歯垢の顕微鏡写真

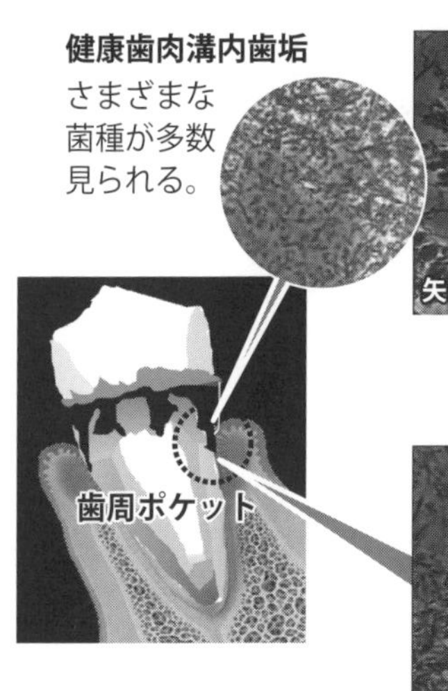

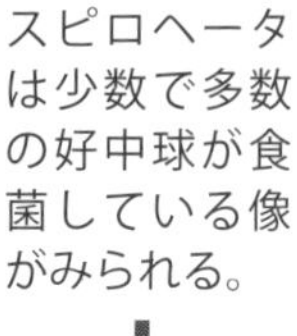

量と歯肉炎は正の相関関係があります。一方、歯周炎は歯垢の蓄積量ではなく、歯肉縁下歯垢から検出される特定の**歯周病原菌**が関係します（**図 38**）。その中でも最も病原性の強い菌をまとめて**レッドコンプレックス**（**Red Complex**）と呼んでいます。ジンジバリス菌（*Porphyromonas gingivalis*）、タンネレラ菌（*Tannerella forsythia*）、そして梅毒スピロヘータと同じ種に属する口腔スピロヘータのデンティコーラ菌（*Treponema denticola*）です（**表 6**）。歯周病原菌の大部分はグラム陰性の桿菌というグループに属し、病原因子として**内毒素**、**タンパク分解酵素**やさまざまな**代謝産物**が挙げられます（**図 39**）。

表 6　歯周病原菌　（口絵カラー写真参照）

病原性レベル	細菌名
最重要菌 **レッドコンプレックス** **Red complex**	**ジンジバリス菌** **トレポネーマ菌** **タンネレラ菌** ジンジバリス菌　トレポネーマ菌
オレンジコンプレックス	**フゾバクテリウム属** **プレボテーラ属** **キャンピロバクター属** **ユウバクテリウム属** フゾバクテリウム菌
イエローコンプレックス	**ストレプトコッカス属** ゴルドニ菌、インターメディウス菌 サングイニス菌、オラーリス菌など
グリーンコンプレックス	**アクチノマイセス属** **カプノサイトファーガ属** **キャンピロバクター属** **エイケネーラ属** など アクチノマイセス菌

Red complex の細菌が歯周病発症に最も影響があると考えられている。
しかし、その他にもさまざまな細菌が関与しているため、口腔ケアにより Red complex 以外の細菌も減らす必要がある。

重要なことは、歯周病はう蝕と違い、原因菌が複数（**歯周病原菌群**）いるということです。つまり、一種類の菌を排除しても歯周病を治すことは難しいので、それらの菌の生息部位である歯垢そのものを減らすことが最善の方法です。

図 39　ジンジバリス菌の抗食菌作用による細胞内侵入と全身転移

食細胞に対する抵抗性

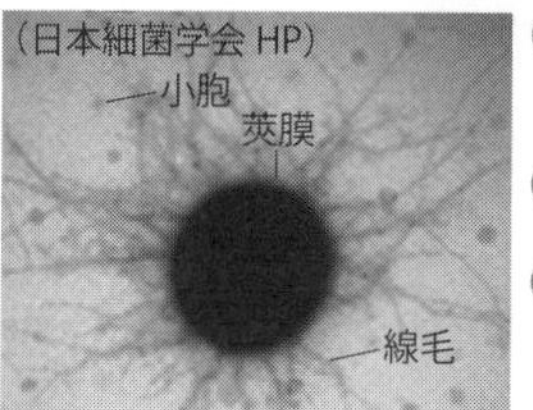

●莢膜
食細胞に抵抗

●小胞

●線毛
組織細胞に付着

●菌体凝集性

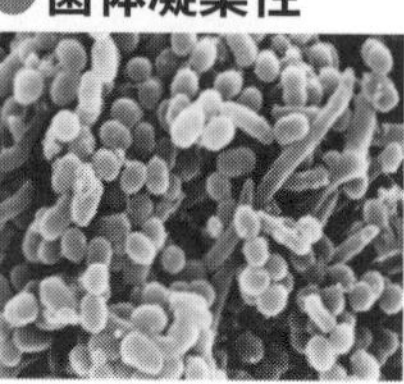

●血球および血小板凝集性

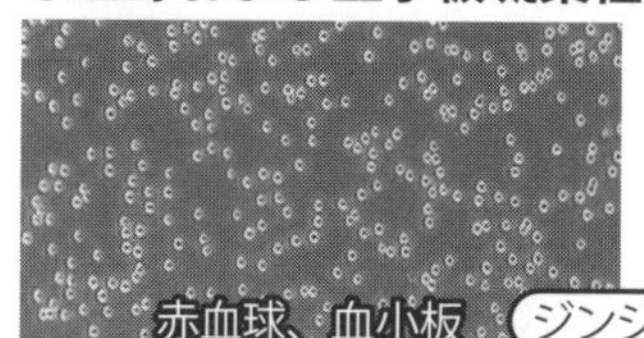

ジンジバリス菌投入

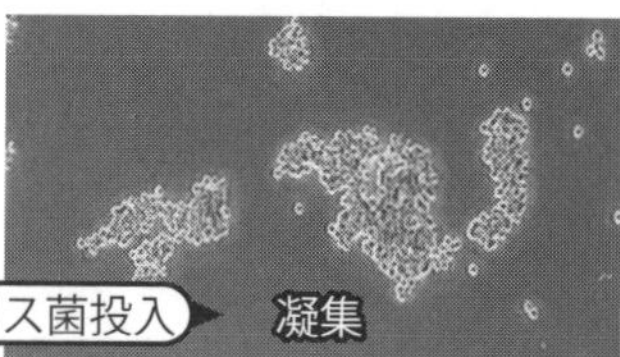

食細胞（好中球やマクロファージ）の食菌作用から回避

細胞侵入性

歯周組織細胞内への付着・侵入

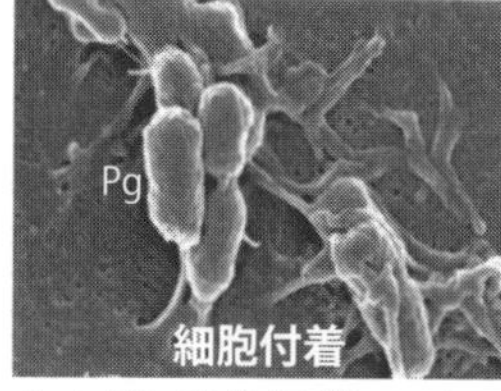

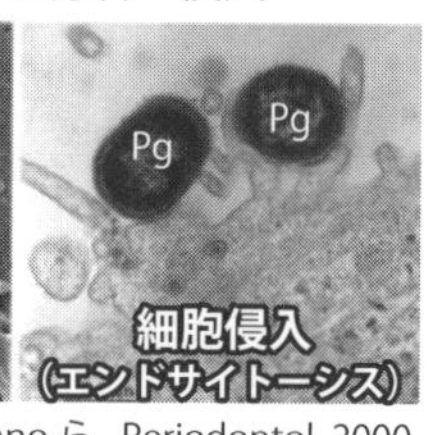

Pg：ジンジバリス菌　　Amano ら , Periodontol. 2000

全身への転移

・血栓形成
・動脈硬化
など

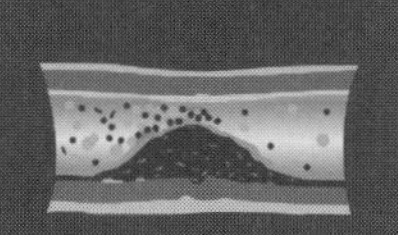

炎症誘導　細胞や組織の破壊など

●内毒素
（リポ多糖）
炎症誘導、
破骨細胞増加
など

●酵素類
組織破壊、細胞破壊
・コラゲナーゼ
・ヒアルロニダーゼ
・システインプロテアーゼ
・フィブリノリジン

●細胞障害性代謝物
炎症誘導、口臭、
細胞破壊
・短鎖脂肪酸（酪酸）
・アンモニア・硫化水素
・有機酸

② 宿主因子 ―重要な免疫レベル―

a）局所的な修飾因子

細菌関連因子による歯周病の発症において、その進行を修飾する局所的な因子があります。これを**炎症修飾因子**といい**歯石**、う蝕、適合不良の義歯、口呼吸、咬合異常や不正、歯の形態異常、そして歯周ポケットの深さなどがあります。特に、歯石は歯垢細菌が石灰化してできるもので、表面が粗造で新たな歯垢が沈着しやすく歯肉を傷つけやすいので歯周病治療の成否に大きく関わっています。日常的なブラッシングで除去することはできません。また、う蝕が存在すると歯垢や歯石が蓄積しやすくなり炎症が進行してしまいます。同様の理由で適合不良な義歯や補綴物も歯周病の原因になります。深い歯周ポケット内は市販の歯ブラシなどの口腔清掃用具による除去は難しいため、歯垢の沈着が進み嫌気性菌の増殖を促進してしまいます。歯周病予防のための歯石やポケット内の歯肉縁下歯垢除去は、歯科医師による定期的なプロフェッショナル口腔ケア（専門的口腔ケア）が必須です。

b）全身的修飾因子

加齢によって全身の免疫力、細胞の機能及び各種代謝機能は低下しますので、加齢は歯周病進行における重要な**全身的修飾因子**です。また、ダウン症や膠原病、好中球減少症など遺伝的背景が関与する疾患、代謝性疾患なども歯周病発症に関係します。

病的な因子としては、**糖尿病**、**骨粗しょう症**や**後天的免疫不全症候群**（AIDS）なども歯周病発症に大きく関係します。特に、糖尿病と歯周病との関係は詳細に研究が進み、密接な関係にあることがわかっています（第６章）。HIV 感染による後天的免疫不全症候群を発症した患者において重症な歯周病がみられますが、これは全身の免疫が歯周病に深く関わっているよい例といえます。

③ 環境因子 ―第三のリスクファクター生活習慣―

環境因子には**喫煙**、**ストレス**、**栄養障害**、**肥満**や**薬物**などが含まれます。この中で最も歯周病の発症と進行に影響を与えるのは**喫煙**です。喫煙によって歯周組織の末梢血管は収縮し血行障害がおこります。その結果、歯周組織は、栄養分や酸素補給が低下す

第5章

＊7 サイトカインと炎症性サイトカイン

サイトカインとは免疫系細胞を中心に非常に多種類の細胞から分泌される糖タンパク質で、極めて微量で細胞間の情報伝達を担っている。それに対応する特異的なレセプターを持つ細胞に作用し免疫応答、細胞増殖と組織形成そして造血応答など生体の防御反応や恒常性の維持に働いている。ホルモンとの明確な区別はないが、一般的にホルモンのように特定の分泌臓器から産生され全身性に影響するわけではなく、比較的局所的に作用することが多い。免疫応答の促進あるいは抑制といった一連の現象にも多くのサイトカインがネットワークを形成し関わりあっている。

サイトカインの中で炎症症状を引きおこすものは炎症性サイトカインと呼ばれ、インターロイキン（IL）-1、IL-6、IL-8、腫瘍壊死因子（TNF- α）などが含まれる。炎症では発熱や好中球の増殖・遊走、肝臓における急性期タンパク質の合成、炎症性細胞の活性化などがおこる。これらの現象すべてに炎症性サイトカインが関わっている。したがって、急性の軽度の炎症は生体防御反応と考えてよい。

るばかりでなく、侵入細菌の排除を行っている好中球の走化性や貪食能が低下し感染が進みます。喫煙者は非喫煙者に比べ、歯周病治療や外科的処置後の治癒能力が著しく落ちることがわかっています。喫煙者は自らの嗜好により、歯周病の発症・進行を促進し、さらに寿命を縮めていることを自覚する必要があります。どうです、本気で健康を考えるならタバコをやめませんか？

ストレスにより免疫力が低下することはすでにご存じと思いますが、強度のストレス状態では歯周病の発症が進み、予後が悪いことが報告されています。ビタミン不足や栄養障害によっても歯周病の進行と治癒に影響があります。要介護高齢者などの栄養障害は口腔にも大きく影響します。また、**肥満**は脂肪細胞から産生される**炎症性サイトカイン**[*7]が歯周組織を易感染状態に陥れるだけでなく、糖尿病などの全身疾患にも影響があることがわかってきました（第 6 章）。

第6章

歯周病と全身疾患

—口は災いのもと—

第6章

歯周病と全身疾患
―口は災いのもと―

歯周病がさまざまな全身疾患に深く関わっていることがわかってきました。歯周病では組織内に侵入した細菌、炎症部位で産生された**炎症性サイトカイン**や炎症物質が血液により長期間にわたり全身に運ばれるため、さまざまな臓器に影響を及ぼします（**図 40**）。研究室や動物実験レベルのものから、臨床研究や幅広い疫学調査によって因果関係がはっきりしている疾患までさまざまです。本章では、その中から歯周病（歯肉炎・歯周炎）との因果関係が詳しく研究されている全身疾患を取り上げます。

1. 歯周病と糖尿病
－糖尿病、知っていますか？その怖さ－

1）糖尿病とは？

糖尿病は原因によって 1 型、2 型に分けられますが、日本人の糖尿病患者の 95% は 2 型糖尿病で、肥満、暴飲暴食、運動不足などのライフスタイルの乱れが主な原因といわれます。糖尿病はすい臓から分泌されるホルモン**インスリン**の働きが阻害され、血液中のブドウ糖（**血糖**）の値が高い状態が続く疾患です。われわ

図 40　歯周病が影響を及ぼす疾患

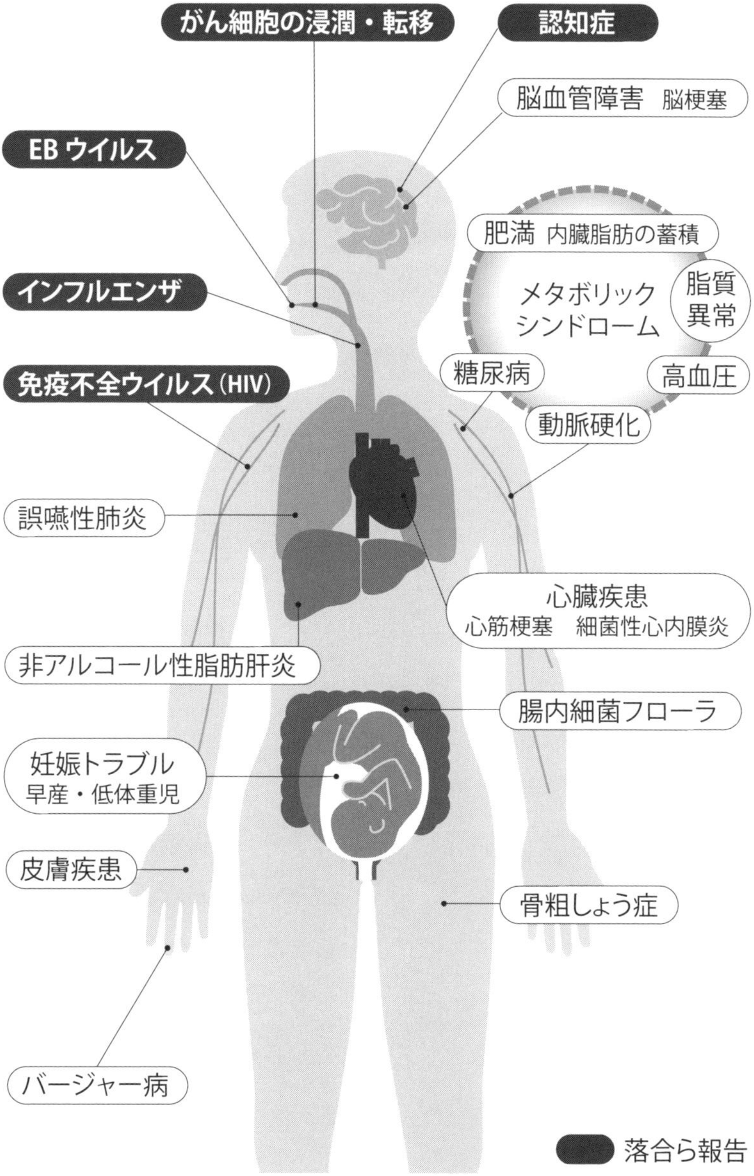

がん細胞の浸潤・転移
認知症
脳血管障害　脳梗塞
EB ウイルス
肥満　内臓脂肪の蓄積
メタボリック
シンドローム
脂質
異常
インフルエンザ
糖尿病
高血圧
免疫不全ウイルス（HIV）
動脈硬化
誤嚥性肺炎
心臓疾患
心筋梗塞　細菌性心内膜炎
非アルコール性脂肪肝炎
腸内細菌フローラ
妊娠トラブル
早産・低体重児
皮膚疾患
骨粗しょう症
バージャー病
落合ら報告

れは食物を消化し、その栄養分を小腸粘膜から吸収して血液によって全身の細胞に運びます。デンプンなどの炭水化物が分解、吸収されたブドウ糖は血液中に移行し細胞内に取り込まれ、エネルギー源となります。膵臓から分泌される**インスリン**は、ブドウ糖を骨格筋、脂肪細胞、肝細胞など細胞内への取り込みを仲介し、血糖値を下げる役割をしています。食後一時的に血糖値は上昇しますが、インスリンの働きにより正常な血糖値に戻ります。しかし、さまざまな理由でインスリンが働かなくなると細胞内への糖の取り込み量が低下し、高血糖となります。高血糖状態が続くと全身の細胞や組織にさまざまな悪影響がおこります。

高血糖状態が長期間続くと、結合組織ではコラーゲン代謝異常がおこり血管壁が弱くなり、その結果末梢組織の血管に異常が生じて（**微小血管障害**）傷の治りが遅くなります。さらにこの状態が続くと、心筋梗塞や脳梗塞の原因にもなります。また、自然免疫の中心的役割を果たす食細胞の好中球やマクロファージの殺菌機能が低下し、細菌をうまく処理できなくなってしまいます。そのため、糖尿病患者はさまざまな感染症にかかりやすくなり、化膿がなかなか治らず慢性化してしまいます。高血糖は神経細胞にも影響するため痛覚が低下します。痛みに気づかないまま足先の傷が長引き、足を切断するなどといったことさえおこります。さらに糖尿病患者では、目の毛細血管ももろくなり、網膜異常から失明したり、腎臓病が悪化し人工透析が必要になるなど極めて深刻な状態に陥るのです。このようなことから糖尿病患者は、代表的な**易感染性宿主**になってしまいます。

その症状が口腔では、歯周組織の修復力や好中球の感染防御能力低下による**重症の歯周病**という形で現れてくるのです。

2）歯周病が糖尿病を悪化させるわけ

糖尿病の最大の原因は肥満ですが、歯周病も糖尿病に深く関わっています。歯周病が進行すると糖尿病になりやすくなり、歯周病を治療すると血糖値が下がり糖尿病が改善することが多くの基礎研究や疫学研究でわかっています。糖尿病は喫煙と並んで歯周病の**二大危険因子**です。一方歯周病は、糖尿病の三大合併症（**図 41**）といわれる腎症、網膜症、神経疾患に次いで**第 6 番目の合併症**といわれています。

図 41　糖尿病を放っておくとどうなる？

糖尿病の三大合併症

❶ 微小血管症
糖尿病網膜症
視力低下、失明
（全失明の約 20%）

❸ 糖尿病腎症
血圧上昇による
タンパク尿

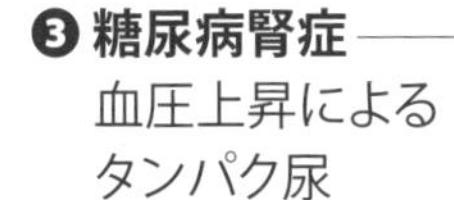

・腎不全（要：人工透析）
原因第 1 位
32.5 万人（44%）
・尿毒症（…死）

❷ 糖尿病神経障害
手足のしびれ
感覚麻痺、壊疽

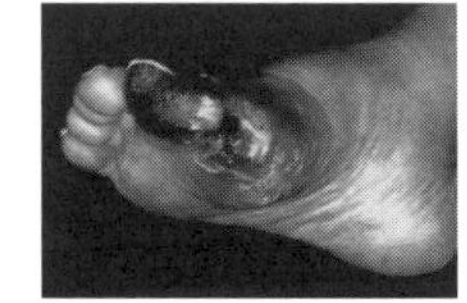

健康日本 21　生活習慣病対策室
厚生労働省 HP より改編引用

歯周炎の患者は約２倍糖尿病になりやすいといわれ、このように両者は密接な関係にあります。なぜ、歯肉局所の炎症である歯周病が全身的な疾患・糖尿病に関わってくるのでしょうか？

歯肉溝の深さが４㎜程度の場合中等度の歯周炎といいます。さらに、５㎜以上の重症の場合になると歯肉溝は**歯周ポケット**とよばれるようになります。全ての歯にポケットがある場合その総面積は約 72 ㎠で、おおよそその人の掌（てのひら）大と考えられています。もし、体のほかの部分に手のひら大の炎症部位があったら、みなさんはどうしますか？痛くてすぐ病院に行きますよね。われわれの研究で、歯周病原菌が産生する代謝産物（**酪酸**[*11 (p.123)]）により神経が痛覚障害をおこすため、歯周病ではあまり痛みを感じないことがわかりました。その結果、歯周病は放置されがちで、ポケット周囲では炎症が促進され**炎症性サイトカイン**が長期間産生され続けます。その炎症性サイトカインが血液によって全身に運ばれるためさまざまな問題がおこります。その１つが糖尿病です。

3）歯周病原菌の毒素（内毒素）と炎症

歯周病原菌には**内毒素**という毒素が菌体表層に結合しており、歯肉内のさまざまな細胞や食細胞であるマクロファージに作用して炎症性サイトカインの産生を促進します。その代表的な炎症性サイトカインが**腫瘍壊死因子**（Tumor necrosis factor-α, **TNF-α**）という物質で、血糖値を下げるインスリンの働きを低下させます。これを**インスリン抵抗性**といいます。また、この内毒素は脂肪細胞やマクロファージが作る炎症性サイトカイン・**インターロイキン（IL）-6**の産生も著しく促進します。細菌やウイルス感染がおこると、炎症に関係する免疫応答や細胞破壊がおこります。その時、肝臓では**C-反応タンパク（CRP）**＊8というタンパク質が産生されて血流中に出てきます。病院の臨床検査でドクターからCRPの値を聞かされると思いますが、つまり、CRP値は体の中でおこっている炎症の程度を知る重要な指標になるのです。このCRPは細菌を凝集し、細菌などを破壊する**補体**という物質を活性化し感染防御にも働きますが、一方において、CRPの上昇はインスリン抵抗性を促進してしまいます。歯周病原菌の病原性で**一番の悪玉**は、この**内毒素**なのです。

4）炎症が原因となる場合 －慢性炎症性疾患・歯周病－

歯周組織の細菌感染で産生された大量の炎症性サイトカインTNF-αやIL-6が門脈から肝臓内に流入し、CRPの産生やマクロファージの遊走が促進されると、炎症はより一層進行します。さらに、歯周炎症部位では細菌の内毒素によって活性化したマクロ

＊8　C-反応タンパク（CRP）

炎症がおこったり、組織が壊れたりしたとき血液中に出てくるタンパク質。その量は炎症の程度と相関性があるので炎症反応の指標とすることができる。高値の場合は結核などの感染症、リウマチ、心筋梗塞、肝硬変などの疑いがあり、弱陽性の場合はウイルス性感染症、肝硬変、脳炎、内分泌疾患や各種の炎症などが疑われる。

ファージが肥大した脂肪組織内に入り込み、インスリン抵抗性が増悪します。長期間にわたる歯周組織の炎症により、歯周組織細胞、マクロファージ、脂肪細胞などによる大量の炎症性サイトカイン産生、そして、肝臓のCRPなどがさまざまな形で関わりあい相乗的にインスリンの働きを低下させてしまいます。この一連の反応は、糖尿病だけでなく動脈硬化のリスクも亢進することがわかっています。十重、二十重でおこるインスリン抵抗性に対し、体は血糖値を下げようとさらに多くのインスリン産生をおこないます（**高インスリン血症**）。高インスリン血症が長く続くと、インスリン産生細胞であるすい臓のβ細胞は疲労困ぱいしてしまいます。その結果、膵臓のインスリン産生能力が著しく低下し、重症の糖尿病となってしまいます（**図42**）。

これに追い打ちをかけるのが**喫煙**です。タバコを吸うと交感神経を刺激し血糖を上昇させるだけでなく、インスリンの働きを低下させます。喫煙は歯周病、糖尿病、がん、ありとあらゆる疾患の原因となることはみなさんご存じですよね。「その１本が命取り…」となることを十分に理解する必要があります。

このように、軽度の炎症が長期間続く歯周病は、体内のいろいろな部分に影響を及ぼし、さまざまな形で糖尿病を悪化させます。自覚症状がないまま症状が進行する歯周病が、徐々に体をむしばんでいく。まるで世界中を震撼させている新型コロナウイルスの病状とそっくりです。しかし、病原性の弱い歯周病原菌の立場になって種の保存を考えると、宿主に強い症状をおこさず宿主の免疫システムをだましながら徐々に増殖し生き残っていくという極めて巧みな戦略といえるかも知れません。

5）歯周病治療により糖尿病が改善する

歯周病の治療や炎症の原因となる歯垢や**歯石除去（スケーリング）**をしっかり行うことにより歯肉の炎症は軽減できます。また、

図 42　歯周病と糖尿病の深い関係

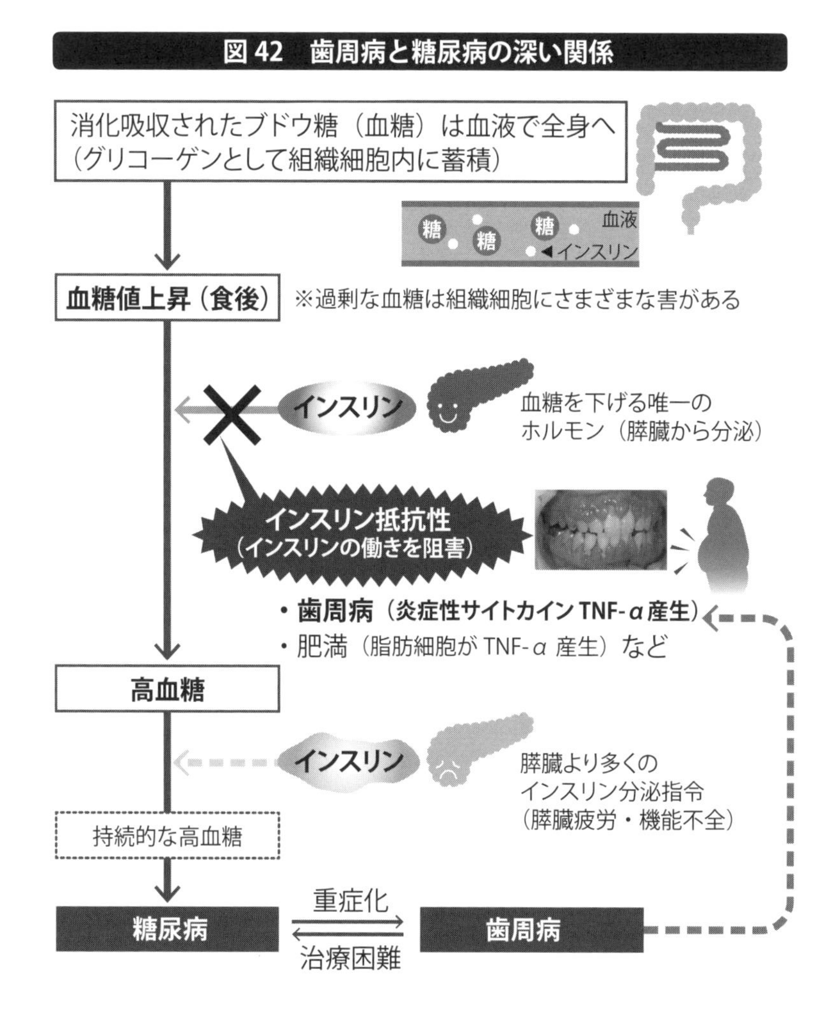

図 43　歯周病治療により糖尿病も改善する

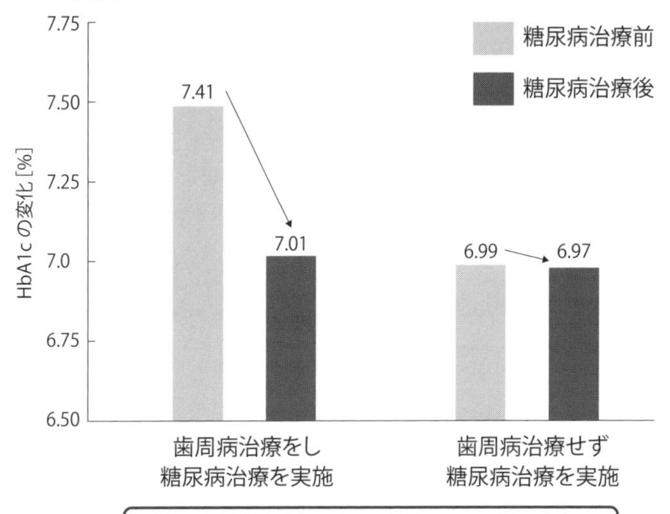

歯周病治療を実施すると糖尿病も改善する。
（治療開始 1 ～ 2 か月間の血糖値）

（Diabetes Res Clin Pract., 2013）

歯周病（歯周炎）治療によって炎症性サイトカインの産生量が低下すると血液内の濃度も低下します。その結果、糖尿病のコントロール状態を表す**糖化ヘモグロビン**（**HbA1c**）*9 の改善がみられるようになります（**図 43**）。歯周病治療によりインスリン抵抗性が改善し、血糖値も低下することは日本はじめ世界各国の臨床研究や疫学研究で報告されています。

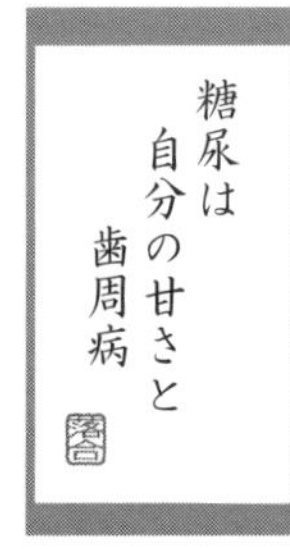

　したがって、糖尿病の発症や重症化を防ぐには、食事や生活習慣の改善、禁煙などのほか口腔ケアによる歯肉の炎症除去が重要です。また、

糖尿病による歯周病への悪影響も減らすことができます。このように、歯周病と糖尿病は密接な関係にあることを理解していただけましたでしょうか。

2. 歯周病と早期低体重児出産
—次世代を守るためにも口のケア—

1）早期低体重児出産とは

医療技術の進歩に伴ってこれまで死産となる可能性のあった低体重児の出生率が増加しています。妊娠 24 週以降 37 週未満での分娩を早産、体重 2,500 g 未満の低体重児出産を早期低体重児出産（Pre-Low birth weight: PLBW）といいます。PLBW の新生児はさまざまな疾患にかかりやすく、死亡率も高いことがわかっています。PLBW のリスクファクターとして、出産年齢、喫煙、飲酒、ドラッグおよび初産などが挙げられています。さらに、近

＊9　ヘモグロビン、糖化ヘモグロビンと HbA1c

ヘモグロビン（Hb）は、赤血球内のタンパク質の一種で、肺で酸素と結びつき全身に酸素を送る働きを担う。一方で Hb は糖と結合しやすい性質がある。ブドウ糖がヘモグロビンに結合したものが糖化 Hb で、血糖値が高いほど Hb に結合するブドウ糖量は増加する。血糖値は短期間に上昇したり下降するため、通常の血糖値は現在の血液中のブドウ糖の値を示す。一旦 Hb は糖化すると赤血球の寿命（約 120 日）が尽きるまで元に戻ることはないため、HbA1c の値によって過去数か月間の血糖値を知ることができる。HbA1c（%）は糖化 Hb/ 全ての Hb+ 糖化 Hb で算定する。

図 44　歯周病と低体重児出産の危険性

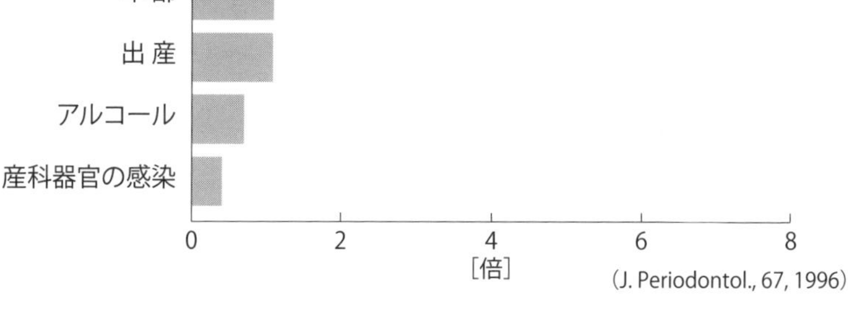

（J. Periodontol., 67, 1996）

年歯周病が PLBW のリスクファクターの 1 つであることが数多く報告されています（**図 44**）。

2）早産のメカニズム

出産のメカニズムはいまだ完全には解明されていませんが、妊娠ホルモンのプロゲステロンなどの下降とエストロゲンなどの上昇により妊娠維持機能が後退すると**プロスタグランディン（PGE）**の産生量が増し、出産に至るとされています。

早産は分娩のプロセスが早期におこるためと考えられますが、早産の原因の約 3 割を占める産科器官の炎症疾患を例に考えてみたいと思います。炎症がおこると炎症部位から**炎症性サイトカイン**、白血球の活性化や PGE などの炎症物質が放出されます。その結果、子宮頸管の熟化や子宮筋の収縮がおこります。実際、早産妊婦の血液中には炎症性サイトカインが上昇しているという臨床データがあります。

3）歯周病は早産にも関わっている

糖尿病の項でお話ししましたが、歯周病患者の歯肉溝浸出液中からは炎症性サイトカインや炎症物質が高い濃度で検出され、血液中の炎症性サイトカイン量が上昇しています。歯周病を示すさまざまな要因と血液中のこれら炎症性サイトカインの間には有意な正の相関関係があります。このことから、歯周組織の炎症部位から炎症性サイトカインや炎症物質が血流によって子宮に運ばれ、子宮の収縮を誘発し、PLBW を引きおこす可能性が高いと考えられます。

また、歯周病原菌をはじめさまざまな口腔内の細菌が直接産科器官に感染し、炎症を誘発しているとの報告もあります。ジンジバリス菌やフゾバクテリウム菌を用いた動物実験でもこれらの細菌による胎盤や胎仔への感染が認められ、胎仔の体重減少や死産がおこるとの報告もあります。

世界各地で歯周病と早産・低体重児出産に関する数多くの研究報告がなされていますが、条件設定などの違いがあり研究成果にも齟齬がみられました。そこでその問題を解決するためにメタアナリシス解析（独立して実施された２つ以上の研究を統合して判断する手法）が行われ、早産・低体重児出産に関する**オッズ比**[*10]が求められました。その結果、妊婦が歯周病に罹患している場合の危険率が早産に対して約 4.3 倍、低体重児出産に対しては約 5.3 倍であったとの報告があります。これらの事実から、歯周病と早期低体重児出産とには深い関連性があることが判明しました。

口腔内の衛生管理ができない妊婦の場合、細菌性膣炎、不規則な生活パターン、喫煙そして食習慣の偏りなど相乗的に早産リスクとして関わってくる可能性が高いとの疫学調査の報告もあります。歯周病と低体重児出産との関係は、口腔の健康状態が単に口腔だけの問題ではなく全てのライフスタイルが関わっていることを示す典型的な例といえるのではないでしょうか。

健康な子供を出産するということは、次世代に対する両親の自覚と社会の責任だと思います。

3. 歯周病と脳血管および循環器障害
—静かに、そして、気づかぬうちに—

歯周病と循環器疾患の関係は以前から注目されていました。日本人の死因第1位は悪性新生物（がん）、以下第2位心疾患、第3位脳血管疾患、第4位老衰で、第5位が肺炎です（2017年厚生省「人口動態統計」）。心疾患と脳血管疾患数を合わせると死亡総数に占める割合は約25%で、がんのそれに匹敵しますが、

＊10 オッズ比

ある事象を比較検討する際に使われる統計学的な尺度のこと。両群間の結果を数式に入れ計算し、その値が1であった場合は両群間でその事象のおこりやすさに差がないと判定される。1より大きい場合はよりおこりやすいと判断する基準となる。

いずれも動脈硬化が発症の原因となっています。

1）歯周病が動脈硬化を促進する

動脈硬化は動脈の血管壁にコレステロールが沈着し、組織の変性と弾力低下により血管壁が硬化した状態です。その部位には炎症性の細胞が集まって**粥状の塊（アテローム性プラーク）**が形成されます。このプラークが冠状動脈に形成されると心筋への血流が滞り、胸部の圧迫感や胸痛を主徴とする**狭心症**が発症します。そして、プラークが壊れることにより**血栓**ができ心臓の血流が遮断され急性**心筋梗塞**となり、脳血管では**脳梗塞**になります。別の部位の動脈で形成されたプラークがはがれて血栓となり、血流を介して遠隔のさまざまな臓器で梗塞がおこることもあります。

歯周病に関連する動脈硬化のリスクマーカーの変動は多数報告されていますが、主なものは血清中の炎症マーカーと血清中の脂質量の変動です。特に報告が多いのは**C-反応タンパク（CRP）**で、CRPは全身性の炎症マーカーであると同時に冠状動脈疾患の炎症マーカーとしても有用です。歯周病患者は健常者に比べ血清中のCRP濃度が有意に増加していますし、動脈硬化症と関連が深い**TNFや炎症性サイトカイン**も顕著に増加しています。これらの事実から歯周病患者は動脈硬化の発症や進行が促進されていると考えられています。

脂質代謝異常は動脈硬化性疾患発症の重要なリスクファクターであることはご存じと思います。血清中のLDLコレステロールの増加、もしくはHDLコレステロールの減少が発症のリスクを増加します。疫学研究で世界的に有名な福岡の久山町のコフォート研究において、歯周ポケットの深さが２㎜を超える集団では２㎜未満の集団に比べ HDL コレステロールの値が有意に低い結果が報告されています。

2）心臓にまで入り込む歯周病原菌

歯周病原菌ジンジバリス菌の遺伝子が動脈硬化部位から検出されたという報告も多数あります。これは、血管系疾患や脳血管障害の原因とされる脂質代謝異常、高血圧、糖尿病などの生活習慣病関連リスク因子では説明できない発症例に歯周病が関連している可能性を示唆しています。認知症の項でもお話ししますが、歯周病原菌はさまざまな手段を使って血管内に入り込み、心臓や脳など全身に到達しているものと思われます（**図 45**）。

3）歯周病の炎症が全身の血管に飛び火

全身の動脈や心臓の冠状動脈障害のリスク因子として、年齢、性別、喫煙、総コレステロール、血圧などの古典的因子に加え、現在では脂質異常症、糖尿病、肥満、そして歯周病が加わっています。近年、通常の CRP だけでなく循環器疾患発症の重要な予知因子として微量の CRP を測定できる**高感度 CRP** が挙げられています。歯周病患者の血液中の高感度 CRP 値は著しく上昇し、歯周病治療により低下することが報告されています。これらのことから、歯周病が循環器疾患の発症に深く関わっていると指摘されているのです。歯周病患者はその生活背景から、肥満や糖尿病、高血圧、その他の生活習慣病を併発していることが多く、歯周組織の慢性炎症が全身の炎症反応を亢進し、体の各部での血管障害に関わっていると考えられます。

図 45　歯周病原菌の心臓・循環器系に及ぼす影響（口絵カラー写真参照）

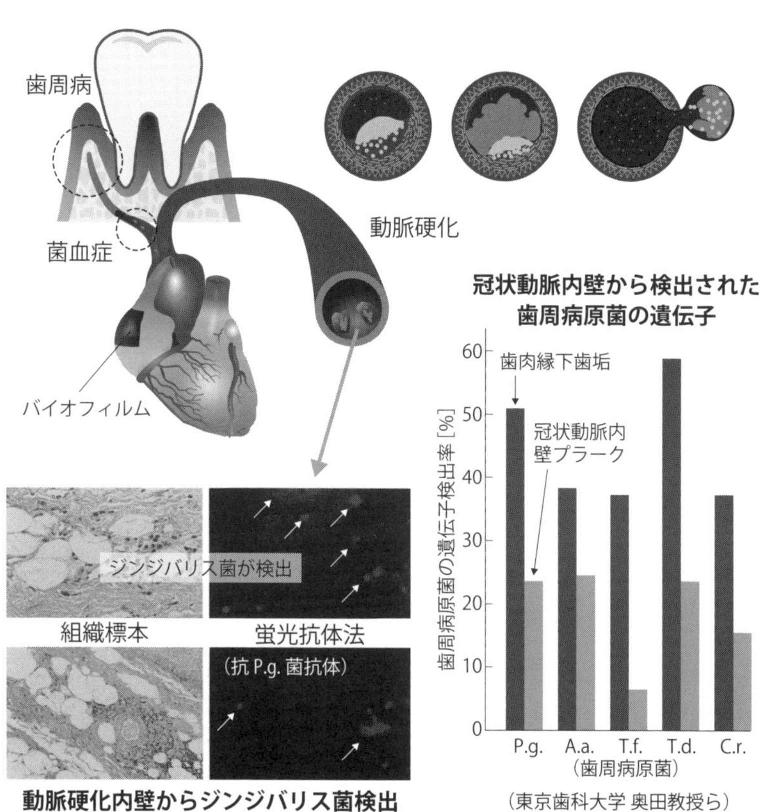

動脈硬化内壁からジンジバリス菌検出
（日本大学松戸歯学部 落合智子教授 供与）

（東京歯科大学 奥田教授ら）

歯垢内の細菌が血液により冠状動脈に運ばれている。歯垢蓄積によりその頻度が上昇することを示している。

4. 呼吸器疾患（誤嚥性肺炎）
―口の菌、甘くみると命とり―

1）肺炎の種類と分類

肺炎の症状はかぜとよく似ていますが、重症化すると命に関わります。肺炎は原因微生物により以下のように分類されます：① 肺炎球菌など細菌が原因となる細菌性肺炎、② インフルエンザウイルスなどによるウイルス性肺炎、新型コロナウイルスによる肺炎もここに含まれます。③ 細菌とウイルスの中間的性質を持つマイコプラズマという微生物などによって発症する非定型性肺炎に分けられます。また、発症する背景によっても分けて考えられています。日常生活でおこる肺炎は**市中肺炎**といわれ、インフルエンザの後にかかる肺炎などがそれにあたります。これに対して、医療や介護現場でおこる肺炎もありますが、これは**医療ケア関連肺炎**と呼ばれます。そして、特に高齢者に多い食物や唾液の誤嚥による**誤嚥性肺炎**に分類されています。

すでに述べましたが、本邦における死亡原因は悪性新生物（がん）が第 1 位です。しかし、がんで亡くなられた近縁者がおられる方は経験されているかもしれませんが、多くのがん患者は最終的には肺炎で亡くなります。2017 年の統計から老衰という項目ができ、肺炎と誤嚥性肺炎が分けられました。肺炎による死亡者の約 96% が 65 歳以上の高齢者です。さらに、高齢者の肺炎において 70 歳代の約 70%、90 歳以上では実に 95% の肺炎が**誤**

図 46　歯周病と誤嚥性肺炎

肺炎の種類

1) 市中肺炎（一般肺炎）2) 誤嚥性肺炎　3) 医療・介護関連肺炎

市中肺炎の主な原因菌

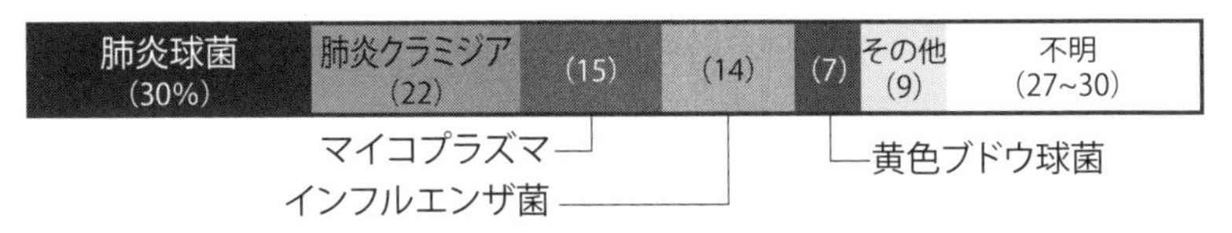

（※インフルエンザウイルスとインフルエンザ菌は別）

高齢者の肺炎の原因は誤嚥性肺炎

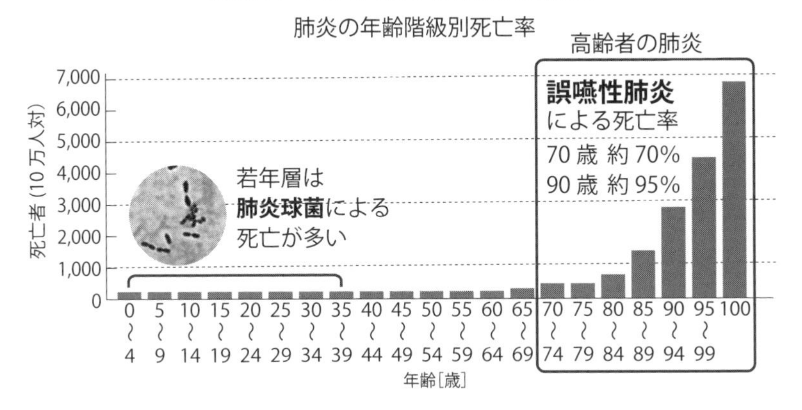

肺炎は高齢者の最大の死亡原因であり、大部分は誤嚥性肺炎。
その原因菌は口腔および咽頭に常在する細菌である。

嚥性肺炎と診断されています（**図 46**）。誤嚥性肺炎の主な原因菌は口腔や咽頭にいる常在菌です。

子供の口腔細菌の大部分は両親から伝搬したものです。したがって、両親からもらった命が、同じように両親からもらった常在菌によって終わる。常在菌との共存は、単に医学的な視点だけではなく、さまざまな意味で興味深いものといえるのではないでしょうか。ぜひ、「**寿命とは常在菌と共存できる期間**」というフレーズの意味をもう一度考えていただけたらと思います。

2）誤嚥性肺炎の真犯人は口腔細菌

歯周病は誤嚥性肺炎の発症リスクも高めることがわかっています。本来食物は口から食道へ入りますが、高齢者は嚥下力が低下するため食物が気管から肺に入ってしまうことがあります。これを**誤嚥**といいます。また、高齢者は睡眠時などに知らないうちに唾液を**誤嚥**していることが多く、誤嚥をおこす時に口腔やのどの常在菌が一緒に肺に入ってしまうため肺炎をおこします。これが**誤嚥性肺炎**です。

簡単で当たり前のように行われる嚥下ですが、実はさまざまな筋肉と神経が関係しあって行われている極めて複雑な行為なのです。高齢者や寝たきりの患者では口腔内の清潔が不十分なこともあり、歯垢量の増加と共に原因となる細菌がより多く増殖してしまいます。さらに、それらの患者では咳反射が弱くなっているため、誤嚥した細菌を排除する機能が低下しています。また、栄養状態が不良であることや免疫機能の低下なども発症に関与してきます。さらに、**逆流性食道炎**や嘔吐などにより食物と胃液を誤嚥して発症する場合もあります。誤嚥性肺炎の病巣からは市中肺炎の原因菌である肺炎球菌、ブドウ球菌、その他に腸球菌、大腸菌などの**腸内細菌**も多く検出されます。このように口腔細菌を中心として、非常に多くの種類の細菌が肺から検出されるため、誤嚥性肺炎の原因菌を一種類の細菌のみに限定することは困難です。

高齢者施設や介護施設などで行われた臨床研究によると、歯科医師や歯科衛生士などによる**プロフェッショナル口腔ケア**を実施した施設では、実施していない施設に比べ誤嚥性肺炎の発症率は明らかに低下しています。つまり、口腔内の細菌数を減らすことによって、誤嚥性肺炎の発症率も減らすことができるのです。在宅医療が多くなり、高齢者の多くが自分たちでは適切な口腔管理ができないまま生活するケースが増えています。認知症や寝たきりの高齢者では誤嚥性肺炎を発症しやすく、今後とも高齢者の誤嚥性肺炎の発症率は確実に増加すると思われます。誤嚥性肺炎の発症率を下げることにより確実に医療費を削減することができますので（p.173 **図 58**）、国家レベルでプロフェッショナル口腔ケアの重要性を再認識する必要があると思います。

第6章

3）終末医療と誤嚥性肺炎

がんの治療期や緩和ケアを必要とする終末期がん患者に多くの**口腔合併症**が出現します。近年医療現場においても口腔ケアの必要性や歯科的対応の重要性が広く認識されるようになってきました。周術期の口腔ケアは術前、術中・直後、回復期とそれぞれ異なります。術前の口腔ケアでは、口腔内の細菌コントロールを目的に歯科医師あるいは歯科衛生士が**プロフェッショナル口腔ケア**を実施します。これにより口腔細菌の量と質が改善され、健常な細菌叢に近づきますの

誤嚥より
良い縁見つけて
よい老後

で術後の誤嚥性肺炎の予防に役立ちます。術前、術後のプロフェッショナル口腔ケアはがん治療に限らず、全身麻酔下での外科手術などでも導入されつつあります。がんの手術後は抗がん剤や放射線の影響で口腔内環境が劇的に変化します。唾液の分泌量が減少し、口腔粘膜の炎症が著しく増加するなど肺炎をおこしやすくなるため、細菌の管理が極めて重要な意味をもちます。しかし、現時点では十分な対応がとられているとは言い難い状況です。

口腔合併症の主なものとしては口腔乾燥症、口腔カンジダ症、口内炎、摂食・嚥下障害などのほか、義歯不適合、動揺歯などいろいろあります。種類が多いためそれぞれについて対症療法的な対応が必要となります。現状での終末期がん患者の口腔合併症に対する処置は、一般的に看護師中心で行われています。歯科的知識が求められる合併症においては、医療チームに歯科医師や歯科衛生士を加えた総合的なチーム医療が重要と考えます。高齢社会を迎え、今後口腔合併症の頻度は間違いなく増加しますので、緩和ケア領域において医科側の口腔への理解、歯科側の積極的参加が望まれます。

5. 歯周病はウイルス感染症を促進する
—ウソのようなホントの話—

われわれは、口腔や腸管内の細菌が作る**短鎖脂肪酸**＊11 とその一種である**酪酸**＊11 の研究を行ってきました。その結果、腸管内では極めて有益な酪酸が、口腔内ではさまざまな為害作用をおこしていることがわかってきました。その為害作用は口腔内に留まらず、全身にも影響している可能性を示す結果も報告してきました。その一部をこれからお話しさせていただきます。

1）短鎖脂肪酸・酪酸は善玉か悪玉か？

歯周病原菌のジンジバリス菌やフゾバクテリウム菌は**短鎖脂肪酸**、特に**酪酸**を大量に作ります。酪酸は非常に小さな分子で歯周組織や細胞内に容易に浸透します。その結果、歯周組織の細胞は重度の炎症、細胞破壊や**細胞死（アポトーシス）**がおこります。そればかりでなく、細胞内に浸透した酪酸は細胞内の染色体に作用し、遺伝子複製に関係する酵素を変化させるため遺伝子の働きにも影響を及ぼします（**エピジェネティック制御**）。われわれは、酪酸が潜

＊11 短鎖脂肪酸（SCFA）と酪酸

大腸内で腸内細菌が食物（難消化性糖質）を発酵する際に産生する脂肪酸の一部で、炭素数が６個以下のものを短鎖脂肪酸という。ヒトでは酢酸、プロピオン酸、酪酸が代表的なSCFA。全身のさまざまな細胞にSCFA受容体が存在しており、がん、糖尿病、肥満などと密接に関係するため健康維持には極めて重要な物質。特に、酢酸は大腸のバリア機能を高め感染防御に関与する。また、酪酸は腸管粘膜細胞のエネルギーになることやムチンの分泌を促進し大腸を保護する。そのほか、過剰な免疫反応を抑制するＴ細胞の増殖を促進するなどの機能も知られている。しかし、酪酸はその濃度の違いにより、細胞増殖促進と抑制など相反する作用をおこすことも知られている。われわれの研究では、歯肉構内で歯周病原菌が産生する高濃度の酪酸がさまざまな為害作用をおこすことを見出した。この結果の違いは、口腔と腸管の組織構造の違いに起因すると考えられる。

第６章

伏状態にある**後天性免疫不全症（AIDS）**の原因ウイルス（Human Immunodeficiency virus: **HIV**）を再活性化し、AIDSを発症する可能性があることを見出しました。この研究結果は、それまでHIVが長期間潜伏状態の患者でなぜAIDSを発症するかわかっていなかったため、世界的な評価を受けました。そのほか、歯肉構内の高濃度の酪酸は、がん細胞の浸潤・転移を促進する可能性を示す結果（第6章, 7.）も得られています。

口腔という狭い環境の中で、「**常在菌叢の変化→代謝産物の変化→ウイルス増殖→新たな疾患**」というあたかもドミノ倒しのような一連の生態系が作り上げられ、新たな疾患が発症するという大変興味ある結果だと思います。酪酸産生菌は腸管や女性の生殖器など多くの常在菌にも大量に生息しますので、酪酸産生菌が過剰に増殖すると口腔と同じような現象がおこる可能性が十分に考えられます。

口腔細菌と歯周病研究結果から得られた情報は、内因性感染症を新たな視点から考えるのに良い例と思います。口腔や腸管内の正常な常在菌叢を維持することが健康にとっていかに大切かを示唆する結果といえます。

2）口腔細菌とインフルエンザウイルス

① インフルエンザウイルスの感染様式

インフルエンザウイルスの感染は、ウイルス表面上の**赤血球凝集素（HANAまたはHA）**タンパク質と**ノイラミニダーゼ（NA）**という酵素が重要な役割を持っています。ウイルスは感染時に、

HA タンパク質と咽頭の細胞表層にある**シアル酸**が結合し細胞に付着します。その後ウイルスの遺伝子は細胞内に取り込み、核内に移行し、RNA の転写とウイルス粒子の複製が開始されます。複製されたウイルスは細胞表層に移動し出芽しますが、細胞表面のシアル酸と結合しているため細胞から離れることはできません。そこでインフルエンザウイルスは自前の **NA 酵素**を使って**シアル酸**を分解し、感染細胞から遊離して周囲の細胞へと感染を拡大してゆきます（**図 47**）。この感染・増殖過程は全てのウイルスでみられ、新型コロナウイルス感染の場合も同じです。現在広く使用されている多くのインフルエンザ治療薬は、この NA 酵素の働きを抑えウイルスが細胞から遊離することを阻害し感染拡大を防いでいます。

② 口腔細菌とインフルエンザ

感染者 5 億人、死者 5,000 万人といわれる 1918 年に世界的大流行したスペインかぜの折、口腔疾患罹患者のインフルエンザ感染率と死亡率が高かったとの報告があります。また、2009 年の H1N1 インフルエンザによるパンデミックにおいて、多くの感染者の肺から口腔細菌や歯周病原菌が検出されました。これらの事実も踏まえ、歯周病や口腔細菌がインフルエンザウイルスの感染を助長したり、症状を悪化させる可能性が考えらえます。また、最近の疫学研究から、口腔ケアを実施した介護施設は実施していない施設に比べインフルエンザの発症率が低かったとの報告があります。ウイルス感染部位が上気道で口腔に近いことを考えると、口腔細菌が何らかの形でウイルスの感染や病態進行に関与していると予測されます。しかし、口腔細菌とインフルエンザ感染に関する詳細な研究はありませんでした。

現時点で口腔と新型コロナウイルス感染との関係を示す研究結

図 47　インフルエンザウイルスの感染様式

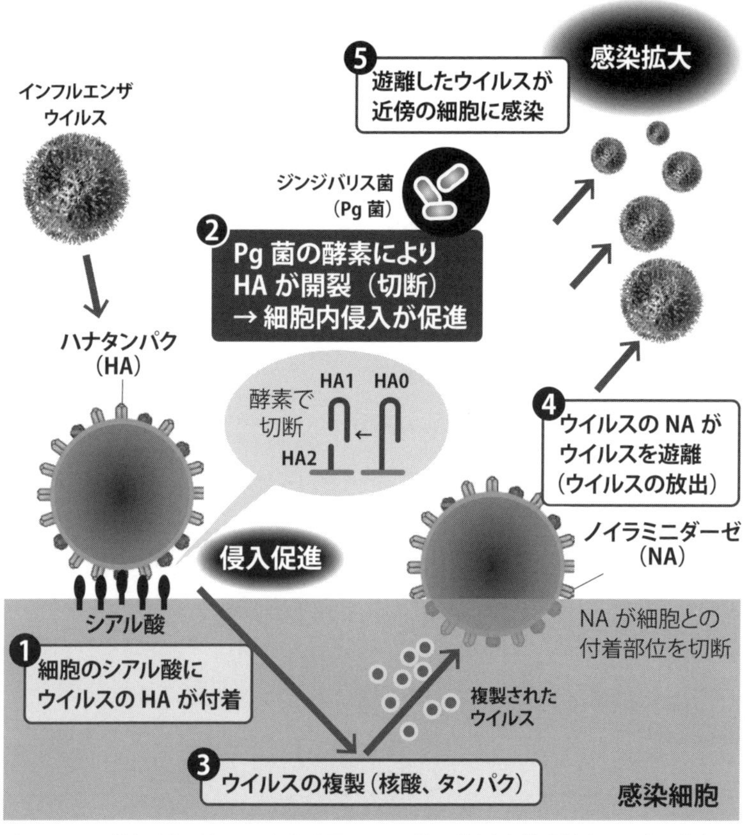

インフルエンザウイルスは HA で細胞表面のシアル酸に結合し細胞付着する。ジンジバリス菌の酵素は HA の一部を切断し、より強く細胞に結合する。また、NA 酵素により細胞から遊離するが歯垢細菌の一部はそれを促進する。

果はあまり多くありませんが、何より**唾液**による**飛沫感染**が主な感染経路となっています。また、口腔粘膜などにも新型コロナウイルスのレセプターが存在することや唾液腺からもウイルスが見つかることなどから、口腔が感染と感染拡大に深く関わっていることは明白です。

③ 歯周病原菌がインフルエンザウイルスの感染を促進している

歯周病原菌は、タンパク質を栄養源とするためさまざまなタンパク質分解酵素を産生します。ジンジバリス菌の産生するタンパク質分解酵素**ジンジパイン**は、ウイルスの **HA タンパク質**の一部を切断（解離）して細胞表面により強く付着するように作用します。細胞は表面に付着した物質を細胞内に取り込む性質（**エンドサイトーシス**）がありますので、強く付着した物質はより多く細胞内に取り込まれます。つまり、この仕組みでジンジバリス菌の**ジンジパイン酵素**により切断された HA により多くのウイルスが細胞内に取り込まれ、大量のウイルス粒子が複製されることになります（**口絵カラー写真参照**）。

④ 歯垢の細菌がインフルエンザを重症化する

すでにお話ししたように、歯垢内で最も優勢な菌種はレンサ球菌です。われわれは、その代表的な菌種であるミティス球菌（*Streptococcus mitis*）やオラーリス球菌（*Streptococcus oralis*）の一部に **NA 酵素**を産生する菌がいることを見いだしました。歯垢内でそれらの細菌の数が増えるとウイルスの持つ NA 酵素と相乗的に働き、より多くの子孫ウイルスが細胞から遊離する可能性が考えられます。そこでわれわれはこの相乗効果について検討しましたところ、予想通り遊離するウイルス数は増加しましたが、驚くほど著しい相乗効果は認められませんでした。

そこで、現在広く使用されている**NA 酵素阻害薬**が歯垢内のレンサ球菌の作るNA 酵素に及ぼす影響を検討しました。その結果、NA 阻害薬によってウイルス自身のNA 酵素活性は抑制されますが、口腔レンサ球菌由来のNA 酵素活性を抑制する効果はみられませんでした。つまり、インフルエンザ治療薬を飲んでも口腔ケアが悪いと歯垢中の細菌により薬の効果が十分に期待できないということです（**図 48**）。今後より詳細な研究が必要ですが、歯垢の蓄積量が増えた場合や歯周病罹患者では、NA 酵素阻害薬の効果が低下しインフルエンザ感染が重症化する可能性を意味しています。

これらの結果から、インフルエンザ予防には口腔ケアが極めて有効であるといえます。特に高齢者は、インフルエンザから肺炎を発症し重症化しやすいため注意が必要です。口腔ケアは、予防ワクチン開発など高額な研究費や副作用の危険性もなく、また、型の異なるウイルスにも非特異的に感染予防できます。このような視点から、口腔ケアはインフルエンザ予防対策として有効な手段と考えられます。

⑤ 口腔ケアはインフルエンザウイルス感染予防に有効（臨床研究）

口腔ケアの介入がインフルエンザ発症に及ぼす影響についてさ

図48　ノイラミニダーゼ産生口腔レンサ球菌のインフルエンザ治療薬に及ぼす影響

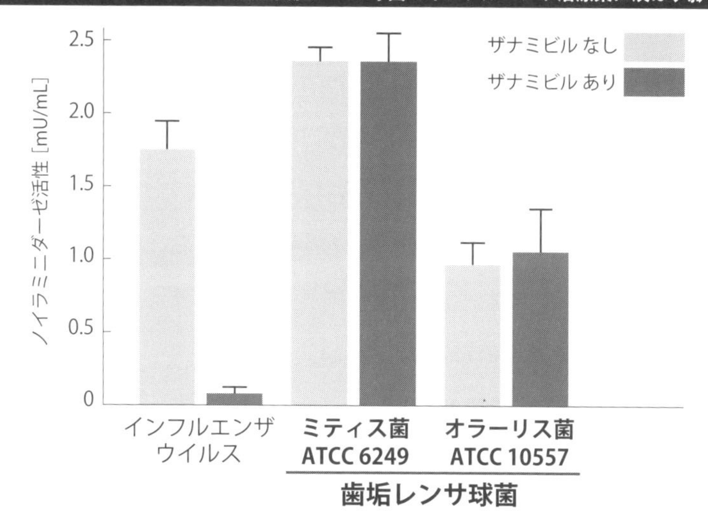

インフルエンザ治療薬（ザナミビル）はウイルスのNA酵素活性を抑え感染抑制的に働く。しかし、歯垢レンサ球菌が産生するNA酵素には抑制効果が期待できない。
したがって、口腔細菌が産生するNA酵素がウイルスを放出するため、口腔ケアが不十分な場合インフルエンザを重症化する可能性がある。
(NA活性測定キットを使用)

図49　口腔ケアはインフルエンザ感染予防に有効（疫学調査）

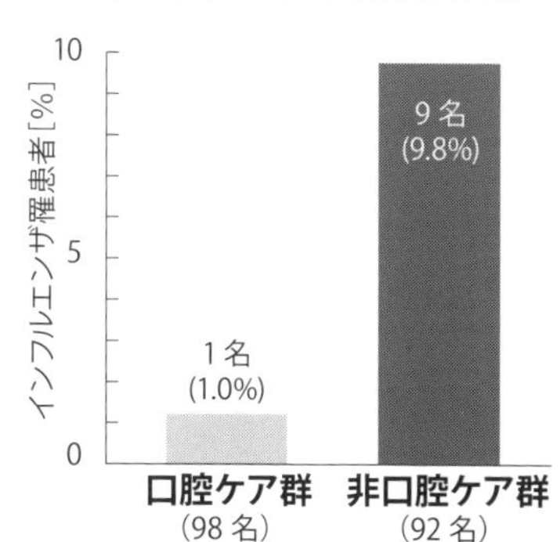

阿部、石原他　日歯医学会誌 (2006)

【調査方法】
1) 要介護施設および通所型デイケア施設
2) 被験者：入所者および在宅介護者（65歳以上、平均85歳）
   ① 被験群（要介護施設入所者：歯科衛生士によるプロフェッショナル口腔ケアおよび口腔衛生指導（1回/週）（98名、平均81.0歳）
   ② 対照群：自分で口腔ケア（92名、平均83.5歳）

【結果】

口腔ケア実施群ではインフルエンザ感染者数が著しく減少した。

まざまな臨床研究がおこなわれています。要介護施設および通所型デイケア施設の高齢者を対象に歯科衛生士による週 1 回のプロフェッショナル口腔ケアの介入群と非介入群を設け、唾液中の口腔細菌数、NA 酵素活性およびタンパク分解酵素活性の変化、並びにインフルエンザ発症率の検討が行われました。その結果、介入群では口腔細菌数が減少し、NA 酵素活性およびタンパク質分解酵素活性のいずれも非介入群に比べ低下しました。また、インフルエンザ発症者数は、介入群において 98 名中 1 名（約 1.0%）であったのに対し、非介入群 92 名中 9 名（約 9.8%）でした（**図 49**）。すなわち、プロフェッショナル口腔ケアによりインフルエンザウイルス感染がおこりにくい口腔環境となり、予防に効果があることが臨床的にも証明されたのです。

3）歯周病が AIDS の発症を早める可能性がある

インフルエンザの項でお話ししたように、ウイルスは感染細胞の**核内**に入り込み増殖します。しかし、ウイルスによっては、感染後長期間潜伏し症状が現れない場合があります。潜伏の仕方はいろいろありますが、日本人の成人約 90% 近くが感染している悪性リンパ腫、関節リウマチ、炎症性腸疾患などの原因となるエプスタイン・バーウイルス（Epstein-Barr virus: **EBV**）は感染後、長期間増殖することはありません。大部分が潜伏感染状態になります。HIV も EBV もヒストン脱アセチル化酵素（HDAC）という酵素の働きにより核内での増殖が抑制されています。歯周病の原因菌ジンジバリス菌やフゾバクテリウム菌の仲間はこの酵素の活

図 50　常在菌および酪酸産生菌の HIV 複製誘導への影響

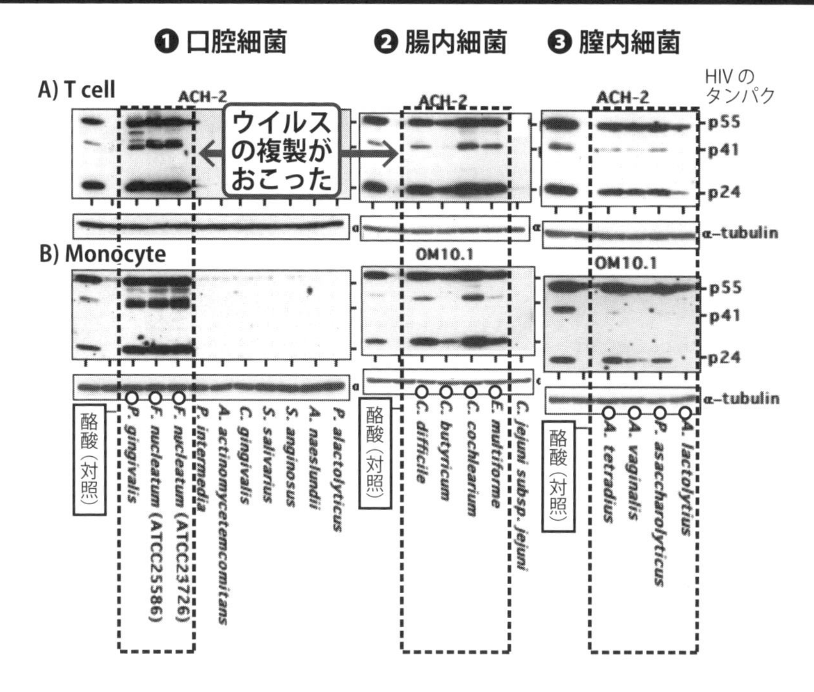

○ 酪酸産生菌　1）使用細胞：HIV 感染 T 細胞（ACH- 2）、マクロファージ（OM10.1）
2）HIV 感染者血清によるウエスタンブロット法による

HIV 感染初期には腸管内で増殖し、その後潜伏感染状態となる。HIV を再活性化する酪酸を産生する菌は、腸管や女性生殖器に多数生息する。これらの細菌が過剰に増殖することにより、AIDS を発症する可能性が考えられる。

性を阻害する物質・**酪酸**を大量に産生します。

われわれは HIV が感染している細胞の培養実験系にさまざまな濃度で酪酸を加えました。その結果、潜伏感染状態の HIV が大量に複製され、細胞の外に出てくることを見出しました（**図 50**）。HIV 基礎研究で細胞内での増殖機構は詳細に解明されていましたが、それが実際感染者の体内でどのようにおこり AIDS が発症

図 51　歯周病が HIV 増加に及ぼす影響

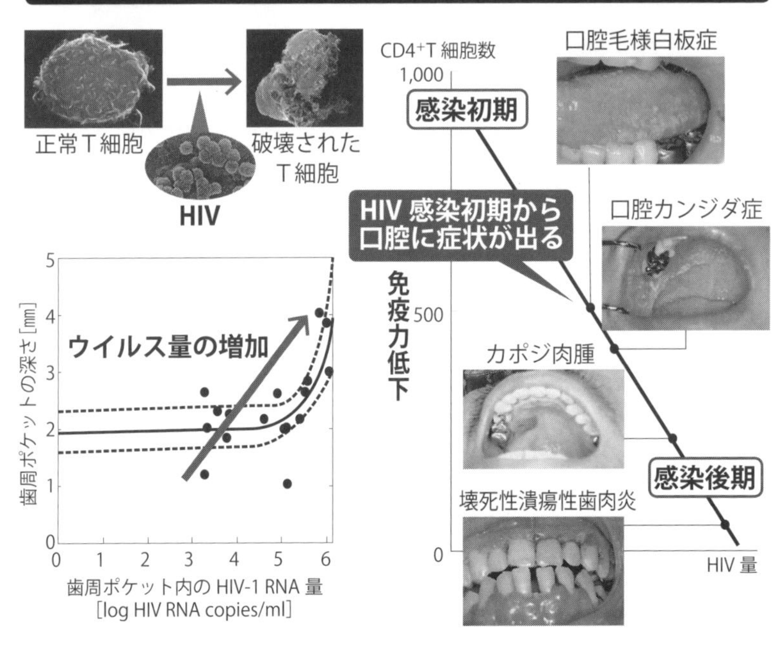

HIV は歯周ポケット内から検出されるが、その検出量はポケットの深さに関係している。また、HIV 感染者の症状は早期から口腔にさまざまな症状がみられる。

するかは不明でした（**ウイルスの再活性化**）。歯周病が HIV ウイルス増殖に深く関わっているというわれわれの研究データは、潜伏期で無症状の HIV 感染者が重症の歯周病になることで AIDS を発症する可能性を示したものです（**図 51**）。

潜伏期における HIV 感染細胞の数は少ないので、感染細胞が血液により歯周組織に循環してきて歯肉中の酪酸だけで再活性化する可能性は低いと思われます。しかし、糖尿病の項でお話ししましたように、歯周病患者の血液中には高濃度の炎症性サイトカイン TNF-α が検出されます。この TNF-α も代表的な HDAC 酵素の活性阻害剤です。したがって、歯周組織内の**酪酸と全身の血液の中の TNF-α との相乗作用**により、潜伏状態の HIV が再活性化する可能性が十分あると考えられます。この研究は、潜伏している HIV が体内で再活性化する理由の 1 つを解明した世界で初めての論文です。

4）歯周病とエプスタイン・バーウイルス（EBV）感染症

EBV は感染後唾液腺細胞の中に潜伏し、唾液を介して近親者から幼児期に伝染します。多くの場合潜伏感染状態で複製が抑制され生涯無症状で終息ます。しかし、思春期以降に初めて EBV に感染すると重症のカゼのような症状がでたり、抗体を産生する B 細胞やリンパ系細胞にがんを発症することがあります（Kissing disease）。近年、このウイルスが胃がん、乳がん、上咽頭がんなどのさまざまな種類のがんや炎症性腸疾患、関節リウマチなどの原因の 1 つであることがわかってきました。われわれの実験結果から歯周病患者では、唾液腺細胞内に潜伏感染している EBV も**酪酸**により HIV の再活性化と類似の仕組みで増殖することがわかりました。

また、臨床研究結果から、唾液だけでなく歯肉溝から漏れ出てくる浸出液中からも大量の EBV が検出されることを見出しました。さらにウイルスの検出量は、歯周病の重症度と相関関係にあることもわかりました。つまり、歯肉溝内や唾液腺内の EBV が歯周病原菌の産生する酪酸により増殖し、全身に拡散することによって難治性全身疾患を発生する可能性が考えられます。EBVにより歯周病そのものが重症化する可能性も考えられるため、今後の歯周病治療法に新たな視点を加える必要があるかも知れません。

6. 歯周病と認知症 −認知症、なりたくないなら口のケア−

1）アルツハイマー型認知症とは？

認知症は脳の萎縮や神経の変性などが原因となって記憶や判断力が低下する症候の総称で病名ではありません。高齢化が進む本邦において極めて大きな社会問題となっています。現在認知症患者はおおよそ462万人おり、5年以内に半数が認知症となる確率の高い**軽度認知障害者**（**MIC**）は400万人とされ、2025年には患者数が700万人を超えると予想されています（厚生労働省データ2015年）。実に、65歳以上の5人に1人が認知症になる計算です。認知症は、**アルツハイマー型**、脳梗塞や脳出血による脳血管型、レビー小体型など大きく4つに分類されます。そのうちアルツハイマー型認知症の患者数が最も多く全体の約70%を占め、次いで脳血管型が約20%です（**図52**）。

加齢に伴う脳の生理的な老化により体験の一部を忘れるなど記憶や認知機能の低下がおこります。しかし、症状はあまり急速には進行しません。アルツハイマー型認知症は、記憶障害、失語、失行、失認、実行機能障害などが主な症状です。つまり、体験記憶全体を忘れ、時間・場所・人物に関する記憶が混乱する意識障

第6章

図52　認知症患者数と分類型

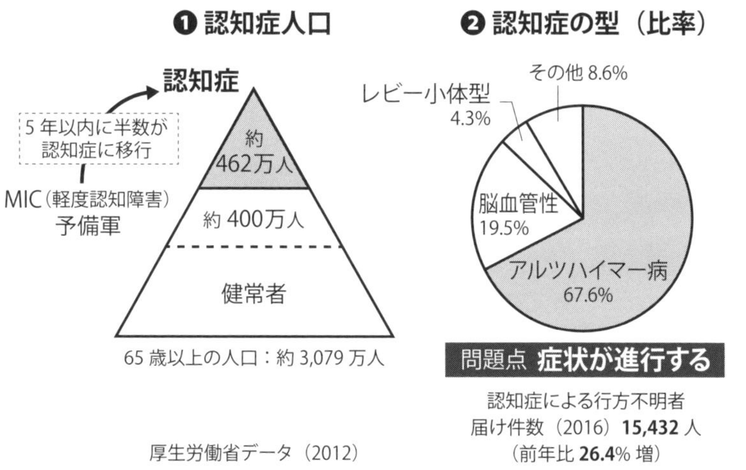

❶ 認知症人口

認知症

5年以内に半数が
認知症に移行

MIC（軽度認知障害）
予備軍

約
462万人

約400万人

健常者

65歳以上の人口：約3,079万人

厚生労働省データ（2012）

❷ 認知症の型（比率）

その他 8.6%

レビー小体型
4.3%

脳血管性
19.5%

アルツハイマー病
67.6%

問題点 **症状が進行する**

認知症による行方不明者
届け件数（2016）**15,432**人
（前年比**26.4**%増）

害がおこり、記憶力・計算力・判断力の低下などの認知機能障害がおこります。しかし、加齢性の記憶力低下と最も違うのは、アルツハイマー型認知症では自覚がないことと症状が進行する点です。その結果、日常生活においても大きな障害やトラブルがおこってしまいます。

2）認知症は30歳代で始まるって？

アルツハイマー型認知症は何が原因で発症するのでしょうか？認知症の患者の脳は全体に萎縮していますが、近い過去の記憶を司る**海馬**といわれる部位の萎縮が顕著です。海馬の神経線維に神経細胞の代謝産物の**アミロイドβ**という物質が凝集してできる**老人斑**が神経細胞に蓄積して、神経細胞が変性してしまいます。患者の萎縮した脳内には多数の老人斑が観察されます。ア

図 53　歯周病と認知症（アルツハイマー型）

❶ 病理所見

●老人斑の出現と神経原線維の変化

●海馬や大脳皮質の萎縮
海馬：本能的な行動や記憶に関与

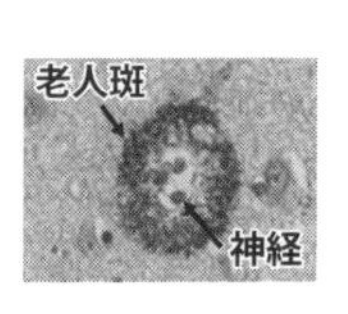

MRI 冠状断像

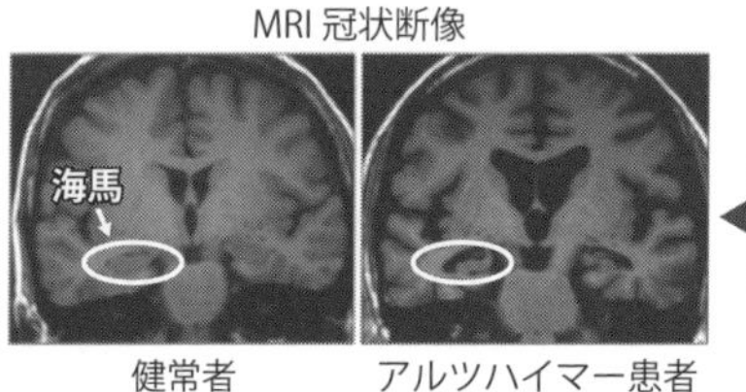

健常者　アルツハイマー患者

海馬および
脳全体が萎縮

❷ 老人斑と認知症

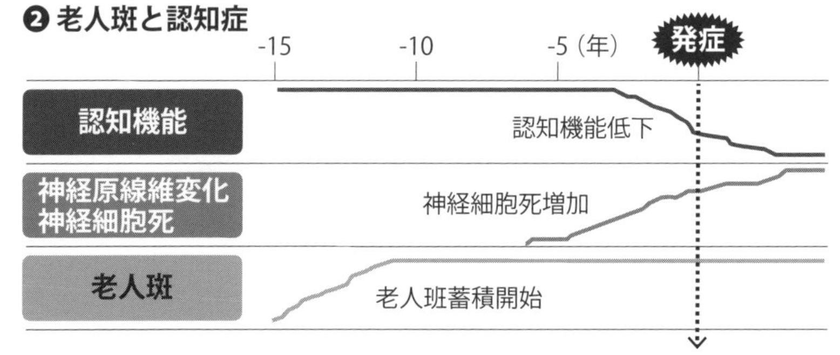

老人班の蓄積は認知症発症の 20~15 年前から始まる…

臨床研究結果：認知症患者の多くが歯周病に罹患している

ミロイドβの沈着や老人斑の形成がアルツハイマー型認知症発症の 20 ~ 30 年前からすでにおこっているとの研究報告もあります（**図 53**）。場合によっては、30 歳代後半からすでにアルツハイマー型認知症の予備軍となっている可能性があるのです。

なぜ老人斑ができるのでしょうか？脳内の神経細胞の代謝産物を処理するミクログリア細胞の変化によること以外、残念ながら

第 6 章

詳細にはわかっていません。したがって、効果的な予防法も治療法もないのです。関係が深いとされる因子としては、加齢、高血圧と動脈硬化、糖尿病、難聴、喫煙などの生活習慣、その他、降圧剤､抗うつ剤や抗コリン剤などの薬物があります。驚くことに、これらは全て歯周病発症の背景となる宿主因子と全く同じなのです。さらに、血液内には歯周病で産生される炎症物質やヒトの脳内から歯周病原菌の遺伝子が検出されたという報告があり、ますます歯周病とアルツハイマー症との関係を疑いたくなります。

認知症の人は歯が悪い。歯が悪いから認知症になる…まるで、鶏と卵のような話ですね。歯周病が関連する全ての全身疾患にいえることですが、発症するまでに時間のかかる慢性疾患では、単純な因子のみを原因とすることは困難です。すでにオーラルフレイルでお話ししたと思いますが、口腔ケアが悪いとう蝕や歯周病により歯を失うことになります。その結果、消化吸収が低下し全身の筋肉量が減り、運動能力も低下します。また、脳への咀嚼刺激が減ることにより思考力が低下し､社会参加の機会も減ります。この一連の流れの結果が認知症の誘因になると考えられます。短時間で死につながることのない口腔の疾患は、普段から健康に気を配っている方々以外は放置されがちです。しかし、少しずつ確実に体を蝕んでき、そして、いつかアルツハイマー症となって現れるのではないでしょうか。これが「**口腔にはその人の人生と教養のレベルが現れる**」という由縁です。

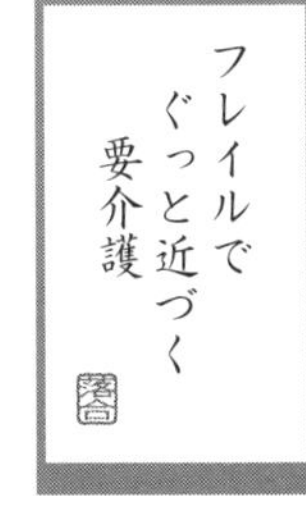

3）歯周病原菌が脳に入り込むってホント？

科学的な根拠なしに歯周病が認知症の誘因となるなんて信じられませんよね。歯周病がアルツハイマー型認知症の発症に関わっている可能性を裏付ける研究報告は驚くほどたくさんあります。事実、アルツハイマー型認知症患者の約90％が4㎜以上の歯周ポケットを持っていたとの臨床報告があります。研究結果の内容は大きく2つに分けることができます。1つは、歯周病原菌の遺伝子が脳内から検出されるなどの報告から、菌が直接脳に影響を及ぼしているという考え方です。ジンジバリス菌や口腔スピロヘータの遺伝子が脳内から検出されています。また、認知症で亡くなった方の脳内から遺伝子だけではなくジンジバリス菌体が高頻度で検出されています。アルツハイマー症を発症しやすい特殊なマウスに数種類の歯周病原菌を口腔内に接種したところ、ジンジバリス菌のDNAだけが脳内から検出されました（**図54**）。ジンジバリス菌は脳内に移行する何らかの手段を持っているものと思われます。特に、ジンジバリス菌の**内毒素**や**ジンジパイン酵素**が強く影響しているとの研究報告があります。われわれの研究でも、歯肉内の**酪酸**が老人斑の原因となるアミロイドβの前駆体の産生を促進しているという結果が得られています。

また、梅毒のスピロヘータは後期の梅毒患者の三叉神経、脳幹、大脳皮質などから見つかっています。口腔のスピロヘータは梅毒のスピロヘータの近縁にあたる菌で、アルツハイマー症の患者の脳内から検出されています。

図 54　歯周病とアルツハイマー型認知症との関連性

アルツハイマー型認知症

疫学的研究関連

- 認知症患者では海馬が萎縮
- 認知症の約 80 ～ 90% が歯周病に罹患
- 歯周病患者では血中の TNF-αが上昇し脳へ影響

歯周病原菌関連

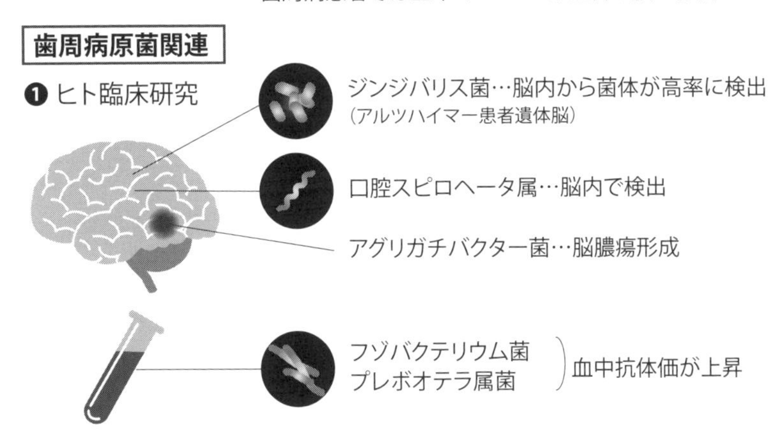

❷ 動物実験（マウス口腔内に接種）

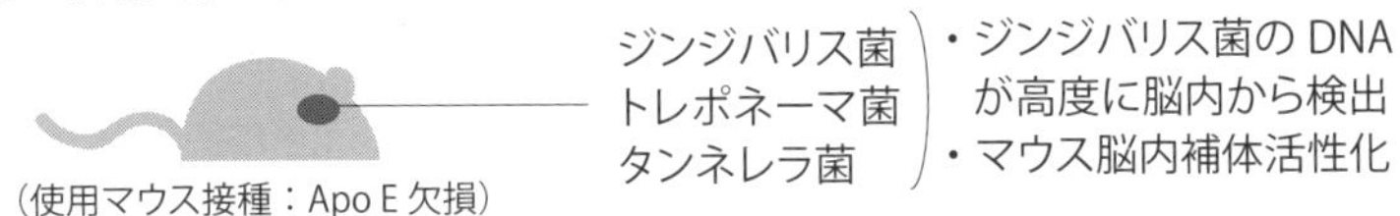

（使用マウス接種：Apo E 欠損）

脳に入る血液は**血液脳関門**という組織で厳重に守られており、脳の栄養になる糖だけが通過できますが、細菌などは容易に脳内に侵入することはできません。しかし、慢性炎症により**血液脳関門**の細胞に異常がおこり正確に働かなくなり、細菌などが侵入しやすくなる可能性が指摘されています。また、血液経由でなく、細菌が脳脊髄液を介して侵入しているという考えもあります。

２つめは、歯周病の炎症部位から炎症性サイトカインや炎症物質が血液を通して脳に作用している。あるいは、歯周病変部位で活性化されたマクロファージなどが影響しているというものです。認知症における腸管や腸内細菌の影響も指摘されています。しかし、消化器官よりもはるかに脳に近い歯周組織の炎症が脳に多く影響を及ぼしている可能性は無視できません。

認知症は発症までに長期間かかる疾患であることから、単独の原因でおこると考えるのは困難です。したがって、歯周病との関係を考える場合も原因菌体や産生物による直接的影響、あるいは歯周病変部位からの炎症性サイトカインや炎症物質による間接的影響などさまざまな因子が複雑に関わりあっている可能性があります。現在までの研究結果からはっきり言えることは、歯周病はアルツハイマー型認知症の**発症を早めたり、重症化する**可能性が極めて高いということです。どうも**慢性の炎症性疾患・歯周病**は、長い時間をかけて体のあちこちに問題をおこしているようです。

歯周病と認知症との関係は日本を含め、世界各国で精力的に研究されていますので､近い将来より明確に証明されると思います。

7. 歯周病とがん —口腔を甘くみてるとがんさえも—

口腔ケアの悪い人や歯周病患者には、舌がん、口腔がん、咽頭がんをはじめ、すい臓がんや腎臓がんなどさまざまながんが多いことが疫学的研究でわかっています。歯磨きの回数が少ない人は1日2回以上歯を磨く人よりがんのリスクが約3割高いという報告もあります（愛知県がんセンター 2009 年)。

1）口の汚い人はがんになりやすい

米国ジョンホプキンス大学などが歯周病とアテローム性動脈硬化症リスク（ARIC）研究の一環として、1990 年から 2012 年まで約 7,500 人を対象に行った総合的歯科研究によると、重度の歯周病患者はそれ以外の人たちに比べ、がんのリスクが 24% 高かった。特に、肺がんで最もリスクが高く、ついで大腸がんだったと報告しています。喫煙の習慣のある人では歯周病と肺がんを併発している場合が多く、喫煙の影響は無視できません。しかし、歯周病は乳がん、前立腺がんやリンパ系がんの関連性は認められないことから、歯周病の原因菌や炎症物質などが口から直接肺や大腸に移動し炎症をおこしているためと考えられています。本邦においても、**酪酸**を大量に産生する歯周病原菌の仲間であるフゾバクテリウム菌が潰瘍性大腸炎や大腸がんの発症と深く関わっているとの報告もあります。

また、歯周病がすい臓がんリスクを 2 倍以上高めるという報告例などから考えると、歯周病原菌が口腔から腸管という経路以外にさまざまなルートで血液内に侵入し、各臓器に炎症をおこしている可能性が考えられます。歯周病とがんとの関係は極めて重要な問題ですので、今後より詳細な研究が必要と思われます。

2）歯周病原菌の産生する酪酸はがんの転移を促進する？

がんがなぜ怖いのでしょう？転移するからです。転移しなければ、がん病巣部を削除してしまえば何ら問題ありません。そこでわれわれは、歯周病原菌ががん細胞転移に及ぼす影響について検討してみました。がん細胞は、それぞれがん特有の成分を作りますので、その成分を検出する方法が開発されがんの診断に利用されています。われわれは、口腔に好発するがん細胞が他の組織に浸潤・転移する際に大量に産生するポドプラニンという糖タンパク質に注目して研究を行いました。

この物質は正常な組織でもみられますが、リンパ管腫、カポジ肉腫や口腔に多い扁平上皮がんなどの部位で大量に検出されます（**図 55**）。そこで、歯周病原菌が産生した**酪酸**をさまざまな濃度でがん細胞の培養系に加えて培養し、がん特異タンパク質産生に関係する遺伝子発現の変化を調べました。次に、がん細胞の移動を調べるガラス平板培養法を行いました（**図 56**）。これは、ガラス板全面にがん細胞を付着させ、金属板で付着がん細胞を一定幅そぎ落とします。その後、細胞の移動に関係する物質を加え一定

図 55　がん細胞が産生するタンパク質（ポドプラニン）の役割と局在

ポドプラニンの作用

正常組織
- リンパ管形成
- 細胞の形状維持など

病変
- 炎症　・修復/再生
- **腫瘍に強く発現**

リンパ管腫、カポジ肉腫
類上皮型血管内皮腫
卵巣腫瘍、脳腫瘍
扁平上皮がん

→ **浸潤転移に関与**

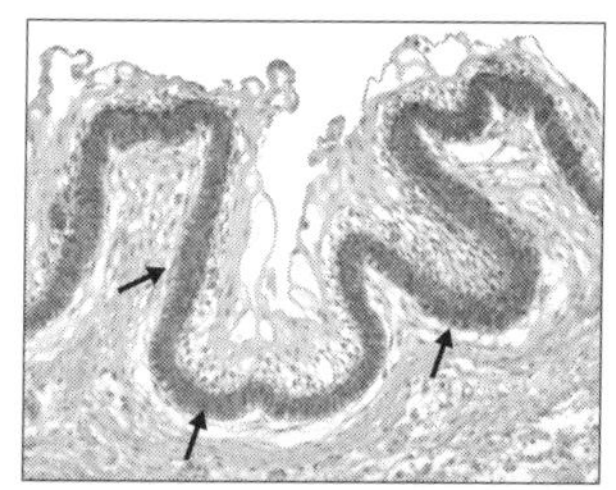

ポドプラニン強発現例
エナメル上皮腫
（歯原性腫瘍）

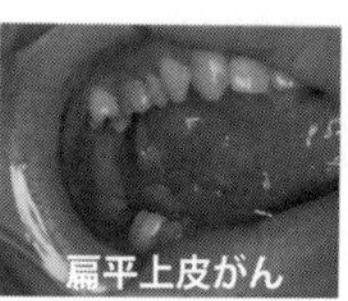

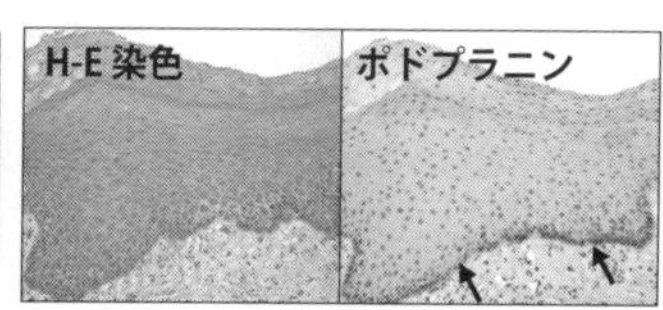

（明海大学 草間教授 供与）

時間培養し、経時的にそぎ落とした部位へ移動した細胞の数を数えるという単純な方法です。

酪酸を様々な濃度（0.3, 2.5, 20 mM）で加え8時間培養したところ、2.5 mM加えた実験群でそぎ落とした部位が移動した細胞で埋まってしまいました。この細胞は2分裂するのに18 ~ 24時間必要ですので、8時間ではまだ細胞分裂はしておりません。したがって、総細胞数に変化はありませんでした。つまりそぎ落とした部位は、増殖した細胞で埋まったのではなく、細胞が移動したことを意味します。

この現象を確認するため、ポドプラニンを作るRNA遺伝子を働かなくなるような方法で細胞を処理しました。その結果、ポドプラニンの産生は抑制され、細胞は移動しなくなりそぎ落とされた部位は細胞で埋まりませんでした。これらの結果が意味することは、口腔にがんのある患者が歯周病になると、歯周病原菌の作る**酪酸**によりがん細胞が口腔外に**浸潤・転移する可能性**を示しています。細菌感染によってがん細胞の移動を促進させる可能性があることを意味しています。

さて、以前にもお話ししましたが、酪酸を産生する細菌は腸管内や女性生殖器内にも大量に生息しています。つまり、腸管や女性生殖器内にがんがあった場合、それぞれの部位に生息する細菌が産生する酪酸によりがんが転移する可能性を示唆しているといえます。口腔と腸管は組織学的に構造が違うため単純に比較はできません。今後より詳細な研究が必要ですが、何らかの理由に常在細菌叢のバランスが崩れ過剰に**酪酸生産菌**が増殖すると、その

図 56　歯周病はがん細胞の浸潤・転移を促進する

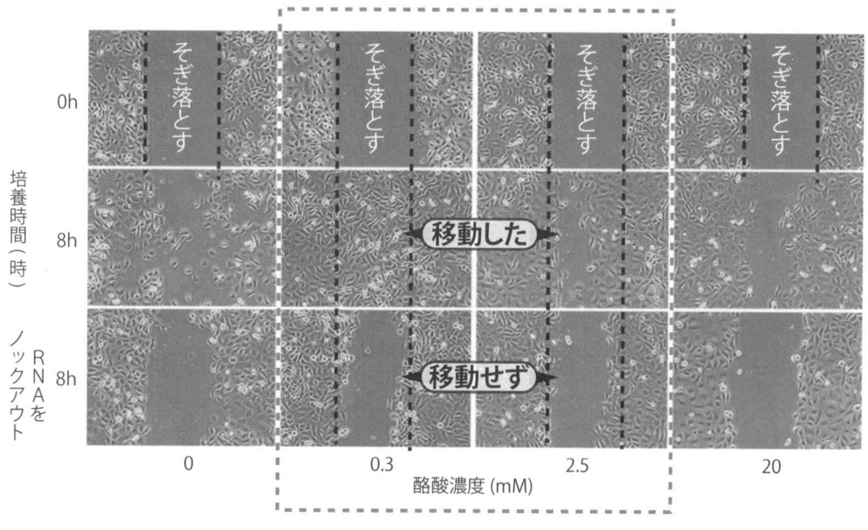

使用細胞：扁平上皮がん細胞（HSC-3）
Y. Miyazaki ら ; J. Canc. Sci. Ther., 2010,

ガラス板上にがん細胞を付着させ培養。一定幅そぎ落とした後、歯周病原菌の産生する酪酸を各種濃度で加え細胞の移動を調べた。
特定濃度の酪酸の存在が細胞の移動を促進している。口腔内にがんがある人が歯周病になるとがんが転移する可能性がある。

代謝産物ががん細胞を含めた宿主細胞の遺伝子発現にも影響する可能性があります。常在菌のバランスの変化は単に増殖した悪玉菌による内因感染のみならず、がんを含めさまざまな疾患に関係している可能性が考えられます。これらのことからも、「**常在菌と共存する**」ということは宿主にとって極めて大きな意味を持つといえます。

TOPIC

新型コロナウイルス感染症
COVID-19

2019 年末から突然中国から広がった**新型コロナウイルス**（**COVID-19**）感染症。由来は諸説ありますが、コウモリからほかの動物（センザンコウなど）そしてヒトへと感染が拡大し、中国をはじめ、全世界で交通が遮断され都市の閉鎖までおこってしまいました。それ以前から若干の感染例は報告され警鐘が鳴らされていましたが、このような**世界的大流行**（**パンデミック**）になるとは予想はされていませんでした。さらに世界各地で第二波、第三波の流行がおこり収まる気配がありません。百年に一度はおこるとされるパンデミックを今われわれは目のあたりにしています。未知のこの小さなウイルスが今、世界経済に大打撃をあたえ、世界の勢力地図さえ変えようとしています。感染症の恐ろしさを改めて考えさせられます。

日本では、2019 年末に中国で確認されたウイルスが侵入し、各地でクラスターが発生しました。その後この中国型のウイルスは消滅しましたが、2 月下旬にヨーロッパ型のウイルスが侵入し、3 ～ 4 月で急速に拡大しました。現在では東京型まで出現し国内に感染が広がっていますし、最新情報ではすでに 9 種類の新種が見つかっています。さらに、最近イギリスや南アフリカでは病原性に影響する変異をおこしたウイルスが検出されており、新たな対策が必要となってきました（2020 年 12 月現在）。

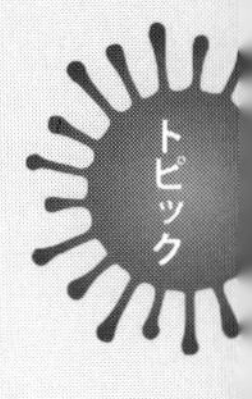

この感染症の大きな問題は、感染後も症状が軽いか、あるいは現れないため感染に気づかず（**不顕性感染**）ウイルスを拡散してしまうことです。そのまま治ってしまい（**自然治癒**）、抗体検査で初めて感染を知

ることも多いようです。

一方、高齢者や糖尿病、高血圧、慢性肺疾患や腎疾患などの基礎疾患をもつ人、さらには肥満、喫煙などは重症化のリスク要因とされます。その結果、急速に肺炎をおこし数日以内になくなる例さえ報告されています。世界各国からも発症率が報告されていますが、おおむね似たような傾向にあります。重症の肺炎では集中治療室での処置や人工呼吸器が必要となりますが、その処置をしないと80歳代では15%、20～30歳代でも感染者500人に1人は死亡していると報告されています。COVID-19感染の平均死亡率は約0.7%で、季節性インフルエンザの0.1%に比べ高いことがわかります。

感染者からは初期症状として臭いがしない、味を感じなくなった、微熱が続き息苦しく倦怠感が長く続くようです。さらに、めまい、幻覚、頭痛、不整脈、脳卒中、胃痛など100種類近い症状が報告されています。また、発症後はインフルエンザの10倍以上辛いとか、退院後3か月以上たってウイルスが検出されなくなった後も、重度の倦怠感や息苦しさを感じ勤労意欲がわかないなどさまざまな後遺症が残るようです。COVID-19感染症をインフルエンザ程度と考えている人たちにとっては大変貴重な経験談だと思います。

ウイルスって何？

ウイルスは人類が地球上に出現するよりはるか昔の40億年以上前から地球上に存在しており、細菌、昆虫、植物、動物など地球上のありとあらゆる生物にそれぞれ特有のウイルスが存在します。それらがすべて病原性を発揮しているわけではありません。霊長類とAIDSウイルス、野鳥とインフルエンザウイルス、そしてコウモリとコロナウイルスのようにすでに共生関係が成立しているものなど多数あります。しかし、それらのウイルスが共生関係にある宿主から種をこえて人類に伝搬する

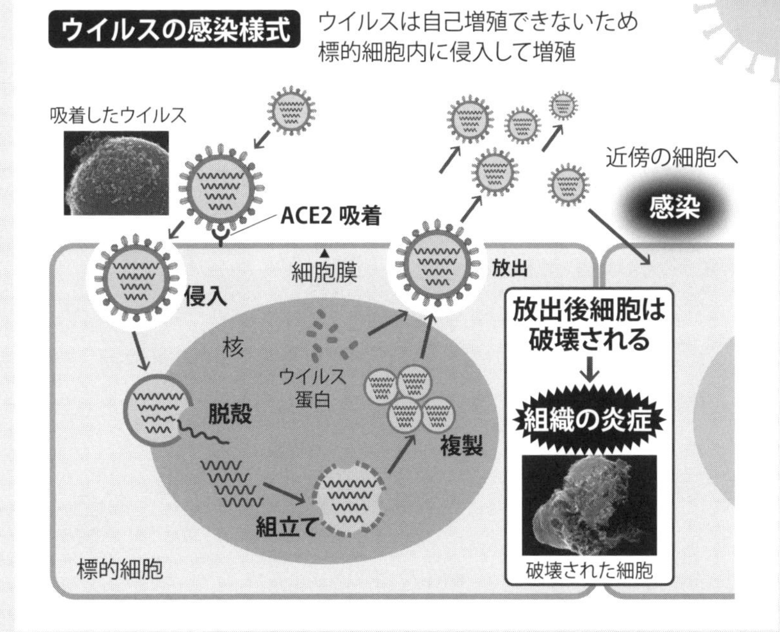

と、COVID-19 のように強毒性を発揮します。細菌は代謝、合成系を持っているため発育条件がそろえば自力で発育・増殖することができます。しかし、遺伝子情報の DNA か RNA しか持っていないウイルスは、自分で増殖することはできませんので必ず標的細胞が必要です。もし、感染したウイルスが宿主を殺し続けると、結果的に自らも死滅することになってしまいます。したがってウイルスは、頻繁に変異し感染可能な宿主の幅を広げたり、その一方で、自ら毒性を弱め宿主との共存を図る傾向があります。

1918 年から 1920 年にかけて 5,000 万人以上の死者を出したスペイン風邪インフルエンザウイルスは、弱毒化し季節性インフルエンザとして人類と共存する関係になってきました。この背景には、治療薬やワクチン開発の影響が大きいと思います。ワクチン開発が進む今、時間はか

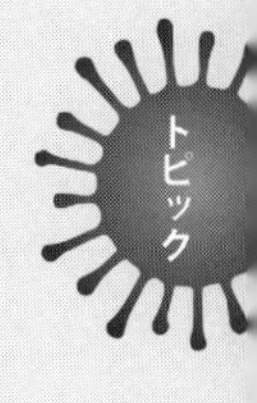

かると思いますが、COVID-19も人類と共存するように変化する可能性があると思います。

微生物感染はまずその微生物と遭遇すること（**暴露**）から始まります。ウイルスを例にとると、その中の一部のウイルスがまず最初に細胞に**付着**することが必要で、個々のウイルスはそれぞれ好んで付着する部位（**レセプター**）があります。COVID-19は鼻、口腔粘膜そして肺胞にある**ACE 2**というレセプターに結合します。その後細胞に入り込み（**侵入**）自分を包んでいる膜からでて（**脱殻**）遺伝子を寄生細胞の核の中に入れてしまいます。遺伝子内に入り込んだウイルスの遺伝子はあたかも寄生した細胞の遺伝子のようにふるまい、寄生細胞にウイルスの遺伝子やウイルスを包むタンパク質などを作らせます（**複製**）。そして、できあがったウイルスは細胞から出て近くの細胞に感染します（**放出**）。これを繰り返し、ウイルスは爆発的に数を増やし特有の疾患を発症させます。COVID-19は2日で1万個に増殖するという研究報告があります。寄生された細胞は放出と同時に**破壊**され死んでしまいますので、その部位は**炎症**をおこします。季節性のインフルエンザウイルスの場合はのどの粘膜細胞に付着し、複製、放出されるためのどの粘膜は炎症をおこし腫れてしまいます。

COVID-19は細胞内で複製された後、**唾液**や**咳**などを介して**飛沫感染や飛沫核感染で**広がります。口腔も感染部位の1つに挙げられていますし、唾液を用いたウイルスの診断法も開発されています。したがって、唾液中には相当数のウイルスが存在することは確かです。飛沫感染の原因となる粒子の大きさは5㎛以上（落下速度30～80㎝/秒）で飛沫感染の粒子は4㎛以下（落下速度0.06～1.5㎝/秒）で長期間空気中に留まります。COVID-19は空気中に排出された後少なくとも3時間は生存し、プラスチックやドアノブなどのステンレスに付着した状態で2～3日間は感染力があると報告されています。このウイルスの特徴をよく把握して、感染予防にはマスクやシールドなどによる唾液の飛散を防ぐことが大切です。

季節性インフルエンザとどう違う

毎年冬になるとインフルエンザが流行しますが、これを**季節性インフルエンザ**といいます。ヒトに病原性を示すウイルスは A、B、C の型別に分類され、それぞれにワクチンがあるため予防が可能です。万が一感染、発症してもさまざまな治療薬が開発されており重症化したり、死亡することはあまりありません。インフルエンザに罹患し亡くなる場合の直接の死亡原因は、細菌感染による肺炎や持病の悪化によるものです。

現時点では COVID-19 感染に季節性はなく、一年中感染がおこる可能性が示唆されています。ウイルス感染予防には**自然免疫（自然抵抗力）**（第 4 章 , 3.）が重要な働きをしますが、COVID-19 は**自然免疫**をあざむくさまざまな手段を持っていることがわかっています。最初に生前から持っている自然抗体や好中球によってウイルスを除去します。ウイルスに感染してしまった細胞は**インターフェロン**という細胞間伝達物質・**サイトカイン**を放出して、免疫細胞に感染を知らせます。サイトカインが細胞から血液中に分泌されると発熱、倦怠感、頭痛、血液凝固異常など感染症特有の症状がおこります。サイトカイン分泌は体を守るために免疫細胞に異常を知らせる現象なのです。情報を受け取ったキラー細胞は活性化し、ウイルス感染細胞を破壊し感染を防ぎます。しかし、COVID-19 は感染細胞のインターフェロン産生量を抑制し、**見せかけの無症状状態**を作っているようです。すでにこのインターフェロン産生抑制能力がより強く変異した COVID-19 が、感染者や死者数の激増している南米で分離されています。さらに、抗体産生も抑制することがわかっています。COVID-19 は、季節性インフルエンザと異なり脳にさまざまな症状が出ます。ウイルスが陰性になった後も長期間の頭痛、そして、**ブレインフォグ**といわれる集中力の低下や倦怠感といった症状が残ります。最近、脳

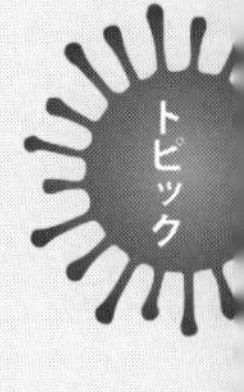

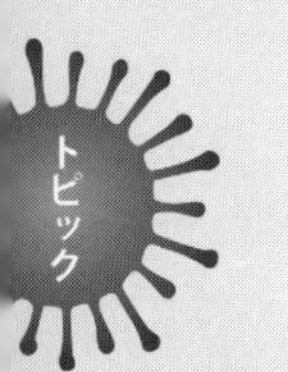

COVID-19によるサイトカインストーム

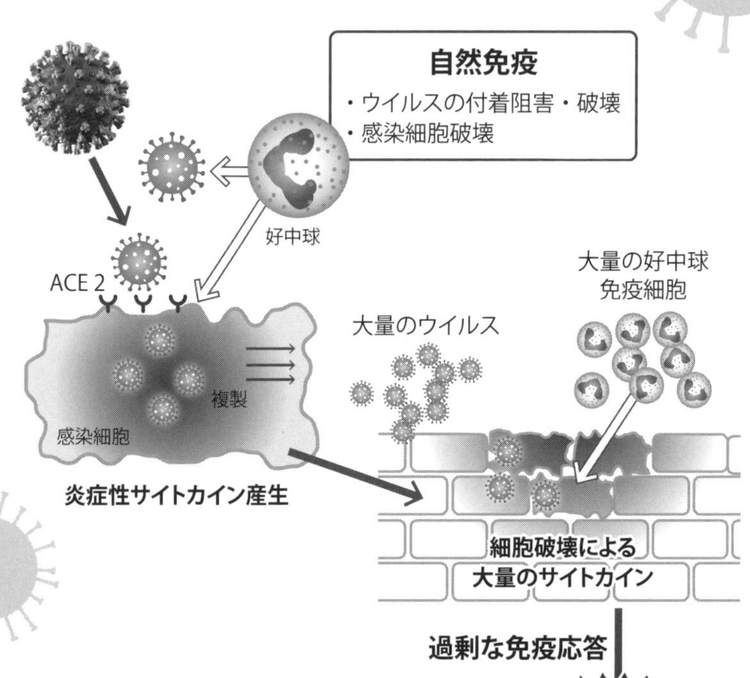

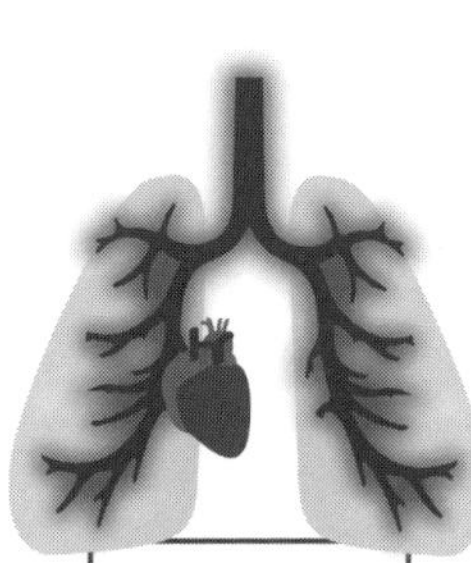

の中心部にCOVID-19のレセプター**ACE 2**が存在することがわかりました。COVID-19は脳のバリアーを破壊した後、脳内に侵入し炎症をおこします。このように脳は、COVID-19による直接の作用とサイトカインストームの血栓形成で大きな影響を受けるようです。

COVID-19は季節性インフルエンザウイルスと異なり、**巧妙な生き残り手段を持った**相当手強いウイルスであり、十分に注意する必要があります。

COVID-19感染者の死亡原因、サイトカインストーム

COVID-19感染における軽症者と重傷者とでは何が違っているのでしょうか？さまざまな説が考えられていますが詳細にはわかっていません。では、死亡原因は何なんでしょうか？死亡した感染者の肺では、血管が血栓で詰まってしまう**肺血栓塞栓症**がおこっており、これが一番大きな原因となっています。その結果、酸素を補給することができずに呼吸困難になってしまいますが、なぜそのような疾患がおこるのでしょうか？病理解剖で血栓を詳細に調べると、血栓内に多くの食細胞（**好中球**）の死骸が含まれていました。

COVID-19が爆発的に増え大量の細胞が死に炎症部位が大きくなると、そこからTNF-α、IL-1、IL-6やケモカインなど大量の炎症性サイトカインが産生されます。大量のサイトカインは、それまで異物排除と炎症抑制に働いていた免疫応答を過剰におこしてしまいます。その結果、発熱、倦怠感などの症状が重症化すると同時に組織破壊が全身でおこってしまいます。これを**サイトカインストーム**（**免疫暴走**）といいます。COVID-19は感染初期にすでに肺から血管内に侵入し、血管内皮細胞のレセプターに付着して細胞を少しずつ破壊しているようです。破壊部位を修理し、感染を抑制すべくいろいろな細胞や**好中球**が多数集まってきます。大量のウイルスを処理できなくなると、好中球は防衛のため、

自分の DNA を細胞の外に放出しウイルスを固めて拡散を防ごうと**自爆攻撃**をします。通常の感染症では少ししかおこらないこの自爆攻撃が COVID-19 感染では血管内で大量におこり、血液細胞も巻き込んで大量の**血栓**を作ってしまいます。血栓ができると血管が傷つき血液成分が漏れ出し、免疫が過剰に働き全身に炎症をおこします。また PAI 1 という血栓形成を促進するタンパク質が COVID-19 感染者で増加することもわかりました。自爆攻撃により形成された血栓が体内のあちこちで心筋梗塞、脳梗塞、肺栓塞、下肢動脈栓塞などをおこすため短期間で死に至るものと考えられます。COVID-19 感染では肺炎が主な症状ととらえられていますが、病理解剖の結果から全身各部で**血栓症**がおこっていることが報告されています。サイトカインストームによる重症化を防ぐために、過剰な免疫反応を抑制する**薬による治療法**も検討されています。

感染予防法

COVID-19 感染予防策はどうすればいいのでしょうか？世界各国で精力的にワクチンが開発され、接種が始まりました。ワクチンは、効果の良しあしはもちろんのこと安全性の確認が必要なため、通常実用化まで少なくとも 10 年はかかるとされています。COVID-19 では、開発からわずか 1 年という驚異的な速さで進んできました。この点からも、COVID-19 が世界に与えた影響がいかに大きいかがわかります。遺伝子を用いた新型のワクチンで効果と免疫持続期間の点で一部から疑問視する声も出ています。季節性インフルエンザのように実用化されるためには、もう少し時間が必要になると思います。

1）人と人との距離を保ち、集団を避ける

通常の会話でも唾液からの微粒子は 2 ~ 3 m 飛んでいくことがわかっています。したがって、最低でも 1 m 以上の間隔をあけ、できるだけ

ウイルスの大きさ

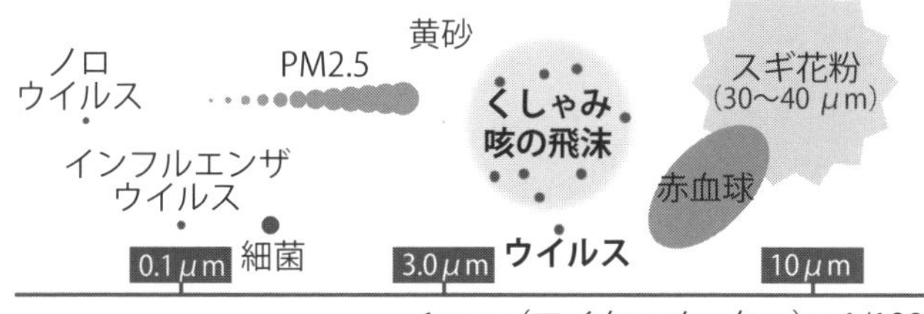

1 μm（マイクロメーター）＝1/1000 ㎜

マスクの効果

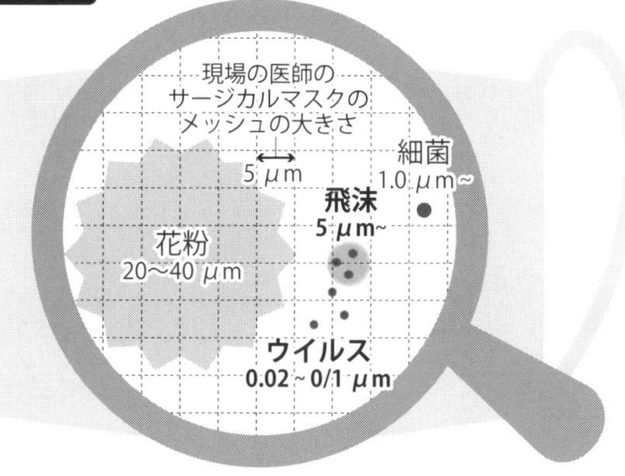

花粉や飛沫は防げるが、ウイルスは通過

真正面に向き合わないようにすることが必要です（Social distance）。そして何より、いわゆる**3密**（**密集、密接、密閉**）を避けることが重要です。

また、当然のことながら流行地や感染者が多い地域への行き来は暴露を回避するため控える必要があります。

2）マスクの着用

マスクには感染防止にさまざまな効果があることがわかってきました。

第一の効果は、よく知られているマスクのフィルター効果で、感染者からのウイルス拡散防止です。1 回の咳で約 3,000 個の飛沫が飛ぶとされ、また、コロナウイルスはエアロゾル状態で約 3 時間程度感染力を維持しているとの報告があります。マスクの材質により拡散防止効果には差がありますが、不織布が最も効果が高いようです。感染の自覚がないまま生活しているケースが多いため、ひょっとしたら自分も感染しているかもしれないという意識でマスクの着用が求められます。

第二の効果は、新たに報告されたウイルス吸引時におけるフィルター効果です。マスク使用群と非使用群による COVID-19 感染発症の確率を比較検討した研究があります。その結果、マスク使用群の発症率は有意に低下しました。これはマスクのフィルター効果により、吸い込むウイルス量が減るためと考えられています。さらに、吸引するウイルス量が減ったため「**微量感染**」状態となり、宿主の免疫力が COVID-19 の増殖を抑え、感染防止に役立つ抗体も産生していることもわかりました。

第三は保湿効果です。季節性インフルエンザは空気が乾燥する冬に流行します。これは、湿度の低下によりウイルスの生存期間が延びると同時に、のどの線毛運動が低下し、異物を体外に排出する能力が下がるためです。線毛運動は呼吸器における自然免疫による感染防止の重要な機能です。マスクによって保湿効果が維持されるため、線毛運動による予防効果が期待できます。

このように、マスクは物理的にも免疫学的にも COVID-19 感染予防に大きな効果があることがわかりました。日本の COVID-19 感染患者が少ない理由はさまざまありますが、マスクを使用する習慣が定着していることも理由の 1 つといわれています。COVID-19 の流行は長期間続くことが予想されているため、現在でもより効果のある新しい素材のマスク

開発が行われています。

3）うがい、手洗いの励行

外出先で無意識に触った場所にウイルスが付着している可能性があります。米国の研究グループの報告では、研究室レベルでこのウイルスはプラスチックや金属の上で 2 ~ 3 日間感染力を維持していることがわかっています。また、糞便中からも検出されています。まずうがい、そして水とせっけんで約 30 秒程度手を洗うことやアルコールなどの消毒薬を使用することが予防に役立ちます。

さまざまな予防法が提唱されていますが、ここに挙げた予防法をよく理解し、自分に合った方法を取り入れてください。感染症は予防が最も重要です。そして普段から健康をチェックし、味覚や嗅覚に異常を感じたら検温などにより早期発見することも必要です。

4）加湿効果

室内の加湿は、以前から季節性インフルエンザの感染防止策として有効とされていますが、COVID-19 感染にも有効なことがわかりました。小さな水蒸気にウイルスが付着して空気中のウイルスが落下し、浮遊するウイルス量が減るためです。また、ウイルスは乾燥状態で生存期間がのび、湿度が高いと低下します。さらに、のどの線毛運動が活発になるためです。特に、60% 程度の湿度で予防効果が高いと報告されています。しかし、60% の湿度が長時間続くとカビなどほかの微生物が増える可能性があるので、換気と併用する必要があります。

5）換気および空気の清浄

ヒトは 1 回約 0.5 L、4 秒に 1 回呼吸しています。1 日で約 100,800 L、ドラム缶 50 本の空気を取り入れています。もし、COVID-19 が浮遊している場合は、確実に感染がおこります。COVID-19 の主な感染経路は飛沫感染であるため、空気中のウイルス量を減らす必要があります。その点で換気は重要な感染予防法といえます。その方法としては、① 窓からの換気、② 送風機などによる機械による換気、③ フィルターによる空気の清浄などがあります。もっとも簡単な換気は、窓からの換気です。大人数が集まったりする場合は、1 時間に 2 回以上窓やドアを大きく開けたり、常に少しだけ窓を開けておくことが推奨されています。正確には換気率を計算する必要がありますが、具体的な方法はそれぞれ詳しく書かれた文書などを参考にしていただきたいと思います。

6）紫外線

最近報告された COVID-19 予防法として紫外線を用いる方法があります。通常微生物を死滅させる紫外線の波長は 260 nm 付近で殺菌灯として用いられますが、この波長はヒトにも有害で注意が必要です。しかし、222 nm 付近の紫外線 10 秒程度の照射により、COVID-19 は 90% 死滅するとの研究結果があります。今後、通路や待合室など多くの人が出入りするエリアや部屋などへの利用が考えられています。

「感染」すなわち「発症」ではない。自然免疫力の維持を！

未知の微生物に遭遇した場合、われわれにとって重要なことは感染症に対する知識と意識です。われわれの体には感染から身を守る**免疫**という強力な仕組みがあります。これには生まれながらに備わっている**自然免疫**と生後の感染経験やワクチン接種により自力で備わった**獲得免疫**があります（第 4 章 , 3.）。不顕性感染が多いことから判断すると、COVID-19 感染では多くの方の体内で自然免疫の総合力がウイルスの病原性に打ち勝っていると考えられます。加齢やさまざまな基礎疾患で自然免疫力は徐々に低下しますので、高齢者や基礎疾患をもつ方で重症化するという結果からも理解できます。COVID-19 感染者の検出には抗原検査、抗体検査、PCR 検査がありますが、いずれも特徴があり完璧な検査法はありません。PCR 検査の結果では、無症状の人が多く検出されていますが、これはこの検査法の特徴でそのような結果が出ているものと

伐採されたジャングルや、溶けた永久凍土から未知の微生物が出てくる可能性も…

思われます。しかし、「**感染≠発症**」という感染・発症に対する最も基本的な知識を理解する必要があります。そこでCOVID-19感染対策で最も重要なことは、一人一人が自分の**自然免疫力**を維持するための努力、つまり生活習慣病を予防するのと同様の生活を継続するということです。万が一COVID-19に暴露されても、みなさん自身の自然免疫力で感染・発症を防ぐ可能性は極めて高いと思われます。

COVID-19は**経口感染**も含めさまざまなルートで感染している可能性がありますので、包括的に考え予防する必要があると思われます。感染予防にはワクチンが最も効果的な方法ですが、ワクチン開発や治療薬の問題からCOVID-19感染症の終息にはしばらく時間がかかるものと思われます。

今回の新型コロナウイルスによるパンデミックは、われわれに感染症の恐ろしさを教えてくれたと思います。しかし、世界各地でジャングルが伐採され未知の微生物と遭遇する可能性があります。また、地球温暖化でシベリアの永久凍土が溶け、はるか昔に凍結された微生物が出てくる可能性もあります。今後も新型コロナウイルスと同じ現象が繰り返される可能性は十分考えられます。したがって、未知の微生物と遭遇した場合の最善の予防法は、一人一人が自然免疫力を維持する努力と日常的に感染症対策を取り入れる「**新しい生活様式**」を実践することです。

※2020年12月時点での情報です。新型ウイルスであるため、情報が随時変わることがあります。

第7章

健康長寿の秘訣　口腔ケア

―自分を守る意識と覚悟―

第7章

健康長寿の秘訣　口腔ケア
―自分を守る意識と覚悟―

この章では今まで述べてきた歯周病について簡単に解説しながら歯周病を予防するにはどうすればいいか、その考え方と予防法について述べたいと思います。本書を全て読むには時間がない、あるいはこの本を読み始めて難しすぎると感じた方は、この章を読んでいただくだけでも役に立つと思います。もし興味をもてたら、ぜひ、第６章「歯周病と全身疾患」との関係も読んでいただけると口腔ケアの重要性をより理解できると思います。

1. 歯周病は感染症

人類は過去に天然痘、コレラ、ペスト、インフルエンザといった**パンデミック**（世界的大流行）を経験し、今は新型コロナウイルスにより大きな被害を受けています。日常生活にも支障が出ているのみならず、１万分の１㎜にも満たないこのウイルス感染症は世界経済に大打撃をあたえ、世界の勢力地図さえ変えようとしています。改めて未知の感染症の恐ろしさを認識させられています。先に述べたように感染症は、常在菌が原因となる**内因性感染症**とそれ以外の微生物によっておこる**外因性感染症**があります。

今回の新型コロナウイルスは外因性感染症で、最近の臨床統計では感染しても発症する人は約20%、重症化する人は約5%と報告されています。大部分の方は感染しても発症せず無症状のまま（**不顕性感染**）健康な生活を送っており、これがこのウイルスが拡散する大きな原因となっています。日本の死亡率は海外諸国に比べてそれほど高くありませんが、長く後遺症が続くことなどからも決して油断のできないウイルスです。

一方、内因性感染症は極めて発症率が高い感染症です。その代表が歯周病で国民の約70％が発症しています。また、高齢者における最大の死亡原因の誤嚥性肺炎は、口腔や咽頭の常在菌による内因性感染症です。歯周病原菌をはじめ全ての口腔細菌は近親者から感染し、生涯共生することになります。相当数の歯周病原菌は毎日歯肉の中に侵入しています。免疫力が十分機能しているうちは極めて有効に排除できますので大した問題にはなりません。しかし、中高年以降免疫力の低下が著しく進み口腔清掃が不十分な場合、歯周病が発症します。う蝕原因菌は親から、歯周病原菌は親や恋人から感染するといわれます。その後長期間にわたり共生することになりますが、その間におけるわれわれの体と微生物の間では相互の力関係で発症するか、無症状で推移するかが決まります（p.18 **図3**）。歯周病は痛みなど目立った症状がないため重症化しがちです。この感染様式は新型コロナウイルス感染症とよく似ています。また、歯周病は短期間で命に関わる感染症ではないため多くの場合放置されがちです。その結果、気づかないうちに糖尿病や動脈硬化などさまざまな難治性の全身疾患発症を誘発することになります。つまり、快適な人生を送るために「**口腔ケアは健康長寿の秘訣**」といえます。

2. 感染症はまず予防から

日本の公的医療保険の概念は、「医療とは治療であり、悪いところを治すために適応され、悪くならないための取り組み（**予防**）には適応されない」というものです。したがって、健康診断や人間ドックなどは適応外となります。この考え方が医療全体、また、国民全体の疾患や感染症に対する考え方に浸透してきているように思えます。しかし、多くの方は自費でインフルエンザの予防接種を受け、感染を回避することの重要性を認識しています。感染してから辛い思いをするよりは、若干の出費を伴っても予防しようという考えだと思います。

インフルエンザと異なり、歯周病はほぼ全員が感染する疾患です。しかも、日々のわずかな時間の**セルフケア**と定期的な歯科医院における専門的口腔ケア、つまり**プロフェッショナル口腔ケア**を継続することによってほぼ完全に予防できます。歯を失い、食の楽しさを失い、さらには認知症や命を失う可能性のある全身疾患の誘因にもなるとしたら、歯周病予防を本気で考えてはいかがでしょうか？

増えていく
歯垢の量と
減る命

3. 予防の初めはセルフケア

今まで述べてきたように、う蝕と歯周病の原因は歯の表面にできる**歯垢**（**デンタルプラーク**）です。歯垢は口腔内に生息する細菌の凝集塊で代表的な**バイオフィルム**で、食べ物のカスではありません。みなさんが考える以上に歯の表面にしっかりと付着し、容易には取り除くことはできません。ブラッシングでなくなったように見えるのは大きな勘違いで、歯の表面や歯と歯の接触面にはびっしりと細菌がついています（p.47 **図 16**）。歯周病の直接の原因となるのは、歯と歯肉の間にある**歯肉溝**という溝に生息する細菌群です。ここに生息する細菌は酸素を嫌います。不十分な口腔ケアで歯冠部（歯の見えている部分）に歯垢が蓄積すると、その下にある歯肉溝の中は酸素濃度が低下し、歯周病原菌の発育に最適な環境になります。栄養源は食べ物のカスと歯肉溝から漏れ出てくる栄養に富んだ血液の成分です。そして、何より細菌の菌体そのものに**内毒素**（**LPS**）があるため、細菌の生死に関わらず歯垢が増えること自体が重要な病原因子となります。

4. 細菌は常に歯肉内に侵入し炎症をおこす

歯周病原菌の代表ジンジバリス菌は、内毒素の他に歯肉や歯根膜を破壊する**タンパク質分解酵素**（**ジンジパインなど**）も持っています。これらを使って常に組織内に侵入し、軽い炎症をおこしています。侵入する細菌量が少量で体が健康であれば防御反応により確実に菌を排除し、炎症の程度も軽く済みます。したがって、日々のわずかな努力を継続することで「**プラークを貯めない**」という自覚が必要です。

しかし、加齢と共に生体の防御システムは確実に低下することも忘れてはいけません。さらに喫煙、乱れた生活習慣や食習慣などさまざまな理由で口腔清掃が不十分になると歯垢の量が増え、組織内に侵入する細菌量が増え十分な防御ができなくなります。その結果、炎症が慢性化し重症化します（**慢性炎症**）。すると状況は一変し、細菌ばかりか、体を守るはずの防御システムが自分の組織も破壊するようになってしまいます。炎症が進み組織が壊れ、細菌が好む血液成分が大量に漏出すると細菌のえさが十分供給されることになります。その結果、より細菌量が増え、徐々に重症化の負のスパイラルに陥ります。早期に遮断しないとこの慢性化と難治性全身疾患発生へのスパイラルは止まりません。

5. 慢性炎症は万病のもと

歯周病は細菌感染によっておこることはすでに述べましたが、歯周病や歯周病によっておこる全身疾患の真犯人は**炎症**です。軽度の短期間の炎症は体を守るために極めて有効であることは説明しましたが、がんも含め多くの難治性疾患は長期間にわたる炎症、つまり、**慢性炎症**が原因なのです。研究者の間で歯周病は「**細菌感染による慢性の炎症性疾患**」と認識されています。

歯周病は「手のひら大の炎症部位が口の中にある」と考えるとわかりやすいといわれます。深さ５～６㎜の病的な歯肉ポケットを持つ歯周病患者は歯 28 本分で炎症の総面積は、手のひら大（約 72 ㎠）になると計算できます。ここから炎症の原因菌や炎症物質が毎日、絶え間なく血液によって全身に供給され続けていることを想像してください。いくら強固な生体防御機構を持っているわれわれの体でも耐えられません。ましてや、中高年で生体防御能が低下している状況では、体中にどんな疾患がおこっても不思議ではありませんよね（第４章）。原因を取り除かない限り対症療法は何ら効果がありません。負のスパイラルが**死のスパイラル**になっていきます。

6. 歯周病と生活習慣

歯周病には細菌感染症と同時に、生活習慣病という側面も持っています（第５章，4.）。つまり、発症までに長期間かかるためその背景として歯垢の蓄積と歯周組織破壊は、食生活の乱れや喫煙などの生活習慣が深く関わっています。歯周病の原因となる歯垢細菌以外で最も重要なリスク因子は**喫煙**です。喫煙者の歯周炎発症のオッズ比は非喫煙者の約３倍、喫煙本数が多いほど重症化しやすいことが多くの研究でわかっています。また、喫煙者の歯周病治療は極めて治療が困難です。タバコに含まれるニコチンやタールなど多くの有害物質が歯周組織内の毛細血管を収縮させ、組織に栄養や感染防御細胞の循環を滞らせるためです。さらに歯周組織内の細胞の増殖が抑制され、炎症からの回復を遅らせます。また、最近はやりの電子タバコや加熱式たばこのような新型のタバコにも害があることが報告されています。

歯周病原菌のもう1つ大きなリスクファクターは**糖尿病**です。歯周病と糖尿病との関係はすでに詳細に述べてきました（第6章，1.）が、血糖値コントロールが不十分な2型糖尿病の患者さんでは、感染防御能が低下しているため重症の歯周病になります。さらに、歯周病があると血糖値のコントロールがうまくいかないという双方向性の悪影響が明らかになっています。そのほか、**肥満**や**ストレス**といった生活習慣も歯周病のリスクファクターとなっています。

7. 基本的なセルフケア

歯周病の原因は**歯垢**であることは再三申し上げてきました。したがって、歯周病の予防と治療で最も大切なことはプラークコントロールです。しかし、細菌は生き延びるためにみなさんが想像しているよりはるかに巧妙な方法で強固に歯に付着し、歯垢を形成しています。さらに、したたかな方法で全身に転移してゆきます。したがって、自己流の磨き方や一種類の歯ブラシだけで十分に取り除くことはできません。まず最初に基本的なセルフケアについてお話ししたいと思います。

1）基本は毎日のブラッシング

近年はマイ歯ブラシを持ち歩き職場などでもブラッシングをする方が増えています。日本人にも歯磨き習慣が定着しているといえます。しかし、なぜ歯周病は減らないのでしょうか？その原因は：

① うまく磨けていない

② 十分な時間をかけていない

③ 適切な歯ブラシを使用していない…などが考えられます。

① は、歯磨きの仕方は両親から教えてもらったり、自己流で習得した方が多いと思います。まずは正しいブラッシングを習得することです。できれば歯科医院で指導を受けることがよいと思います。

② は、一般的には「歯磨きの時間は５分程度で」といわれますが、朝の出勤前や昼休みの５分は長いですよね。したがって、さまざまな機会に可能な範囲で口腔ケアやブラッシングをすることです。そして、最低でも飲食の後は口をゆすぐ習慣をつけることを勧めます。十分に時間をかけるのは就寝前の１回でもいいと思います。この後お話しする複数の種類の歯ブラシでブラッシングをし、デンタルフロスを使い、歯間ブラシを使うと５分で終わらせることは難しいと思います。場合によっては湯舟につかりリラックスしながらゆったりと時間をかけ歯磨きをするのもいいと思います。自分はこれを「**バス・クリーンタイム**」と呼んでいます。

2）歯ブラシの選び方

まずは歯ブラシを正しく選ぶ必要があります。獣毛でなくナイロンの毛であること。そして、歯ブラシのヘッドが小さめで植毛が密で毛の硬さが柔らかめのものを選ぶことです。また、毛先が開いてしまったら早めに交換することです。目安としては、約1か月程度で新しいものと交換することを勧めます。

さらに効果的な歯垢除去には複数の種類のブラシが必要です。通常の歯ブラシで歯磨きをしても必ず磨き残しの部分が出てきます。ぜひ一度、歯磨きの後に歯垢の**染め出し剤**を使い自分の歯磨きの癖による磨き残し部位を知っておくとよいと思います。磨き残し部位に有効なのが**ワンタフトブラシ（図57）**です。ヘッドの先端部分に小さな毛束が立っているブラシで、歯並びの悪い部位、磨き残し部位や歯の接触部位、そして歯頚部などをピンポイントで磨くことができます。

図57　さまざまなケア用品

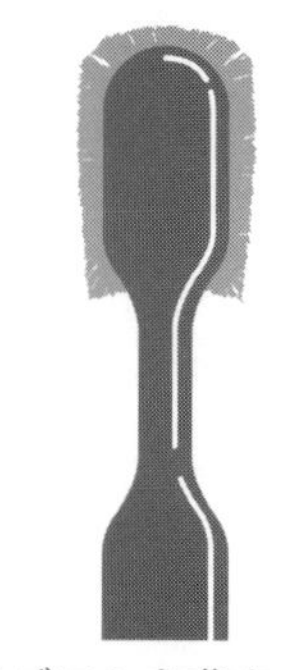

歯ブラシを背から見て、毛がはみ出していたら必ず交換

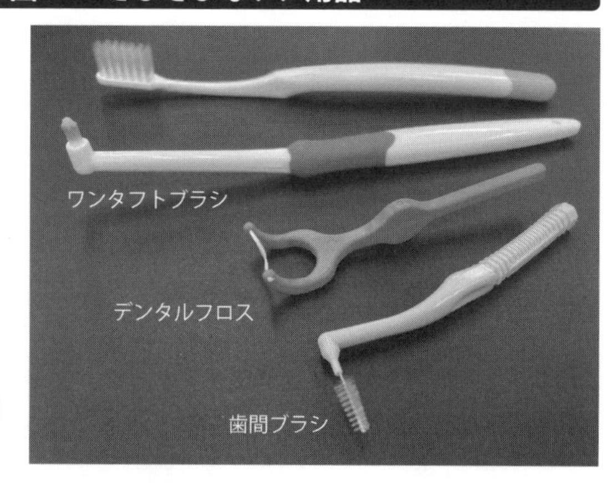

毛先の形状や長さなどさまざまな商品があるので、使いやすいものを選ぶとよいと思います。

3）デンタルフロスと歯間ブラシ（図 57）

どんなにきれいに磨いても歯と歯の接触している隣接面をブラシで取り除くことは困難です。ここがう蝕の好発部位になることはみなさんよくご存じだと思います。歯垢がたまり始めるきっかけになる点では歯周病においても同じです。すでに歯周病になり歯肉が下がっている人やブリッジなどの補綴物を入れている場合も、歯垢をきれいに除去することは困難です。そこで歯と歯の間に糸を通して歯垢を取り除く**デンタルフロス**が必要になります。歯の間に入れやすくするためワックスをコーティングしたものが多いですが、歯垢を取り除くためにはワックスでコーティングしていないもの（アンワックス）が有効です。糸にも太さにより種類があります。また、糸だけのものとホルダーに糸が装着してあるものがありますので、使いやすいものを選ぶとよいと思います。

歯と歯がしっかり接触した部位にはデンタルフロスを使いますが、その下から歯肉の間にできている三角形のすき間を効率よく磨くのが**歯間ブラシ**です。細い針金にブラシが巻き付いたような構造のもので、すき間に入れてゆっくり動かし歯垢をかき出します。無理に挿入すると歯や歯肉を痛めますので、自分に合った形や太さや材質（ゴムでできたものもある）を選ぶとよいと思います。

4）歯磨き剤と洗口液

どんな歯磨き剤がいいですかとよく聞かれますが、最近は歯質を強化するとか、歯肉炎の予防効果があるなど目的別にさまざまな歯磨き剤が市販されています。製品の表示を参考に自分にあったものを選べばよいと思います。しかし、毎日使用したからといって短期間でそれらの薬効を期待することは無理があります。市販の歯磨き剤に含まれる薬効成分の濃度は低いものが多く、歯垢を取り除くことを第一の目的にすべきです。使用量ですが、以前は使用されている研磨剤や爽快感を出すための添加物の問題から大量に使用することはよくないとされてきました。最近は、薬物や高濃度のフッ素入の歯磨き剤もありますので、チューブ入りのもので約１～２㎝程度の長さがよいとされています。歯科医院で販売されている歯磨き剤には薬物の効果を期待できるものがありますので、相談するとよいと思います。

殺菌成分を含む洗口剤が多く市販されていますが、歯垢形成を抑制するものや菌が歯肉に付着することを抑制するものなどがあります。いずれもある程度薬物の効果が期待できます。しかし、洗口液だけで口腔ケアをすることは十分とはいえません。あくまでも、ブラッシングやデンタルフロスなどの機械的な口腔清掃と併用するべきものです。使用法は説明書を参考にすることが必要ですが、一般的にブラッシング終了後、就寝前に使用すると効果があることがわかっています。

5）電動歯ブラシ

近年さまざまな種類の電動歯ブラシが市販されていますが、いずれも全く問題ありません。手で磨く場合より短時間に効果があるとの報告があります。特に、高齢者や何らかの疾患によりブラッシングが難しくなってきた場合や介護が必要になった場合などは極めて有効な方法です。以前は長時間使用して歯を傷つけると心配する方もいましたが、柔らかい毛先を使用するメーカーが増えたので特に心配はないと思います。

電動歯ブラシには、ブラシ部分が回転するタイプ、振動するタイプ、超音波が出るものなどさまざまタイプがあります。メーカーの使用説明書を参考にするだけでなく、かかりつけの歯科医院で相談し、指導を受けることがよいと思います。

8. 絶対必要なプロのケア

くり返しお話ししてきましたが、みなさんが想像するよりはるかに口腔内には細菌が多く、菌は歯にしっかりと**付着（固着）**しています。口腔細菌は口腔内で生存することが最もそれらの菌にとって最適なのです。もし、はがれて飲み込まれると胃酸と胆汁酸で死んでしまい種族の維持は困難になります。つまり、口腔細菌は種の存続をかけて必死に口腔に留まろうとしているのです。さらに、唾液の中には歯から溶け出したカルシウムイオンが含まれています。口腔の細菌菌体にはこのカルシウムイオンにより歯に結合しやすい菌が多く、静電気的に瞬間的に歯に付着します（第

2章，2.，4），②）。また、生きている時ばかりでなく死んだ後でもカルシウムイオンは菌体に沈着するため、**歯石**の原因になります。したがって、歯垢は歯の表面に長く付着していると自然に歯石ができてしまうのです。さらに歯石はブラッシング程度では取り除くことができません。歯石は歯肉を傷つけやすく、またほかの細菌が付着する足掛かりにもなります。その結果、より多くの歯垢の蓄積が進み、歯周組織内への細菌の侵入が促進されることになります。

どんなにきれいに清掃しても、軽い歯石沈着は1か月程度から始まります。セルフケアで除去できる歯垢はせいぜい歯肉縁下1㎜程度といわれています。セルフケアで落としきれない歯垢と歯石除去のため、できれば3か月に一度、少なくとも半年に一度は歯科医院での**プロフェッショナル口腔ケア**で徹底的な歯垢と歯石を除去する必要があります。快適な健康寿命を送るため**ホームデンティスト**は必須です。

9. 歯周病は歯科医師だけでは治せない

さまざまな講演の折に多くの方から「むし歯はすぐに治るのに、歯周病は何度通院しても治らない」といわれます。こう感じるのは、根本的にう蝕と歯周病の違いを理解されていないからだと思います。「むし歯は歯科医師が治せます」、しかし、「**歯周病は歯科医師だけでは治せません**」。むし歯治療はいわば**受け身的な治療**、一方、歯周病を治すためには患者自身の治そうとする意志と積極的な参加が必要となります。つまり**能動的な治療**といえるのです。

う蝕は１週間から10日に一度通院して病変部を除去し、補綴物をいれ咬合機能を回復すれば治療は終了します。しかし、歯周病は患者自身が長期間放置した結果炎症が慢性化し、歯槽骨が吸収する疾患です。長期間かかって破壊されてしまった組織が短期間で治るはずがありませんよね。皮膚の切り傷は比較的短期間で直りますが、骨まで侵されたらすぐ治りますか？手足の骨折は１～２か月で治るじゃないか？と考えるかもしれませんが、体の中は無菌なので骨折部に細菌感染がおこることは極めて稀です。もし感染したら大変なことになります。歯周病の骨吸収は細菌感染が原因で、手足の骨折とは全く違う話です（第5章，4.）。

歯周病の治療で毎週歯科医院に行くことはよほど重症でなけれ

図 58　歯科健診実施の有無による年間医療費の差

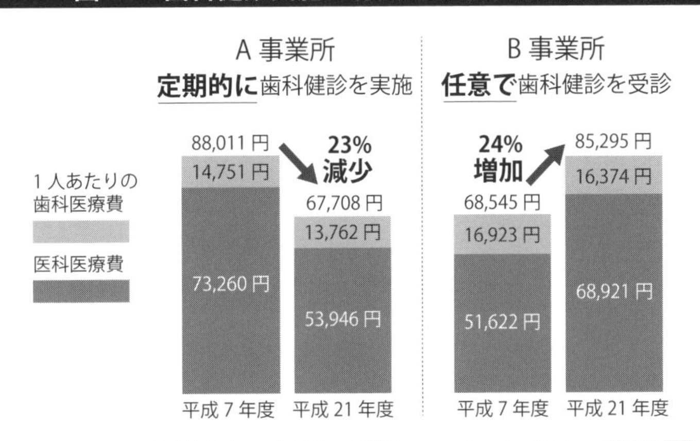

出典：デンソー健康保険組合
日本人はこうして歯を失っていく（日本歯周病学会、臨床歯周病学会編）改変

ば考えられません。短くとも1か月に一度、あるいは、数か月に一度の診察・治療というのが一般的です（**図58**）。その間、患者さんは歯科医師の指示に従ってご自身による**セルフケアを継続**することが重要になります。歯周病は細菌感染と同時に生活習慣病の側面を持つことはすでに述べました。歯科医師がプラークや歯石除去、歯周組織の炎症の治療にいくら努力しても、患者自身の食習慣や喫煙といった生活習慣の乱れが続けば治るはずがありません。「**健康に対する意識はその人の教養レベルに比例する**」という言葉があります。歯周病はすぐに致命的な症状が出る疾患ではありませんので、歯周病を通して個人の健康長寿に対する認識と姿勢が現れてくると思います。「**歯磨きは自分磨きの第一歩**」ではないでしょうか。

教養は
目と口元に
あらわれて

参考資料

- 落合邦康監修（2020）『ヒト常在菌叢と生理機能・全身疾患』シーエムシー出版.
- 日本感染症学会『新型コロナウイルス感染症』http://www.kansensho.or.jp/
- 奥田克爾（2020）『デンタルプラークのすべて』医歯薬出版.
- 日本歯周病学会・日本臨床歯周病学会編（2016）『日本人はこうして歯を失っていく – 専門医が教える歯周病の怖さと正しい治し方 –』朝日新聞出版.
- 服部正平監修（2016）『ヒトマイクロバイオーム研究最前線』NTS.
- 日本歯周病学会編（2016）『歯周病と全身の健康』医歯薬出版.
- 落合邦康監修（2015）『腸内細菌・口腔細菌と全身疾患』シーエムシー出版.
- 落合邦康他編（2015）『口腔微生物学 – 感染と免疫 –』学建書院.
- 日本歯周病学会編（2015）『歯周病治療の指針 2015』医歯薬出版.
- 落合邦康（2010）「歯周病原性菌の付着を考える」,『歯周病と骨の科学』医歯薬出版.
- 落合邦康他（2009）「口腔フローラの免疫系に及ぼす影響」, 古賀泰裕編『医科プロバイオティクス学』シナジー出版.

おわりに

口腔を中心に微生物の感染症について述べてきましたが、お役に立ちましたでしょうか？人生100歳時代を迎えて、特に常在菌による感染症についてどのように受け止められたでしょうか？微生物環境に生を受け、終生全ての体表を覆っている常在菌と共存していかなければなりません。常在菌はわれわれにとってきわめて有益な細菌叢ですが、同時に、善玉菌、悪玉菌そして日和見菌の分け隔てなく絶えず体内に異物として侵入しています。免疫システムが十分機能している間はこれらの異物を容易に排除できるため、共存関係は容易に維持できます。しかし、加齢と共にこのシステムの機能は確実に低下していきます。それまで軽く済んでいた炎症が慢性化し、がんを含めさまざまな疾患の原因となります。歯周病は常在菌と免疫システムとの力関係をわれわれに認識させる代表的な疾患といえます。

なぜ、強力な防御システムを持つ口腔に歯周病がおこり、重症化してしまうのでしょうか？自分は歯科医ではありませんが、臨床医の方々から重症の歯周病患者の口腔内写真が数多く送られてきます。「なぜこんなになるまで放っておくのか？」「この口でどうやって食べていたのか？」「なぜ早く治療しないのか？」と疑問でなりません。やはり、「たかが口ぐらい…」と思っている方が多いのではないでしょうか？歯周病は自覚症状が乏しく、気づきにくい疾患かもしれません。しかし、歯周病に対する正しい知識が浸透していないことも大きな原因だと思います。その点については、われわれ歯科医療関係者にも責任があります。歯周病は予防できる感染症です。早期に治療を始めれば治る疾患です。そのために歯科界は、一般の方々に歯周病に対する正しい知識や情報を発信し続ける責任があると思います。

常在菌と宿主との関係を元に、歯周病と全身疾患について長々と書いてきましたがご理解いただけましたでしょうか。多くの人は人生の最後に「静かに牙をむく常在菌の怖さ」を知ることになるかもしれません。これを機会に、常在菌と共生することが宿命とされるわれわれの一生、そして、それを踏まえ健康長寿についてぜひじっくりと考えてみてはいかがでしょうか。

最後までお読みいただき、ありがとうございました。

索引

索引

なかた歯科クリニック

〒466-0842
名古屋市昭和区檀渓通 5－34－1
カサブランカだんけい通　2F
TEL 052-853-2431
FAX 052-853-2432

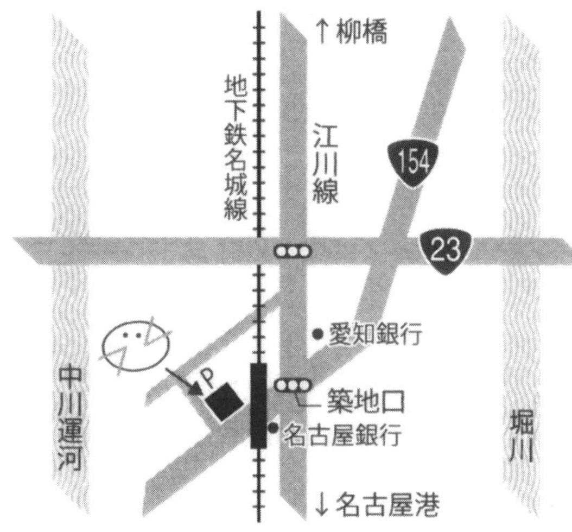

中田歯科医院

〒455-0015
名古屋市港区港栄 4－2－10
TEL 052-661-2431
FAX 052-654-3735

医学博士 ***中 田 文 人***
Fumihito Nakata D.D.S.,Ph.D.

笑顔輝く
お口の健康
髙橋歯科医院
一般歯科/矯正歯科/訪問診療
山形県酒田市内町47-1
Tel 0234-62-2023/fax 0234-62-2917
院 長 髙橋義夫
副院長 髙橋敏子

落合教授が勧める歯科医院

佐藤歯科クリニック　〒041-1105
院長：佐藤 孝正　北海道亀田郡七飯町桜町２丁目２－８
☎：0138-65-3335　FAX：0138-65-3335

高屋歯科医院　〒034-0011
院長：高屋 茂　青森県十和田市稲生町２３－１０
☎：0176-23-8241　FAX：0176-23-8268

あすなろ歯科医院　〒037-0016
院長：飛嶋 寛一　青森県五所川原市一ツ谷５０７－２３
☎：0173-33-1122　FAX：0173-33-1551

石要歯科　〒033-0052
院長：小西 史人　青森県三沢市本町２丁目８１－２
☎：0176-57-4500　FAX：0176-57-4543

阿部歯科病院　〒994-0004
院長：阿部 俊裕　山形県天童市大字小関1－1－3
☎：023-654-3434　FAX：023-654-7124

樋口歯科医院
院長：樋口 和夫

〒360-0012
埼玉県熊谷市上之８０７番地－１１
☎：048-525-2344　FAX：048-526-6633

南部歯科
院長：南部 暁生

〒145-0065
東京都大田区東雪谷2－１７－1－２０１
☎：03-3720-7712　FAX：03-3720-7878

川名部歯科医院
院長：川名部 大

〒144-0034
東京都大田区西糀谷4丁目２１－4
☎：03-3744-4182　FAX：03-3744-4182

秋葉歯科医院
院長：秋葉 和実

〒125-0063
東京都葛飾区白鳥２丁目６－１６
☎：03-3838-1182　FAX：03-3838-1185

石川デンタルクリニック
院長：石川 一郎

〒133-0057
東京都江戸川区西小岩五丁目１９番２号
☎：03-3657-6480　FAX：03-3657-6483

野上歯科医院
院長：野上 俊雄

〒301-0004
茨城県龍ケ崎市馴馬町上米５９６
☎： 0297-62-0707　FAX：0297-62-9907

水野歯科医院
院長：水野 繫
〒320-0842
栃木県宇都宮市京町１２－６
☏：028-634-9001　FAX：028-634-9001

ウエダ歯科医院
院長：上田 信義
〒508-0006
岐阜県中津川市落合７４０－１
☏：0573-69-4048　FAX：0573-69-4977

大畑歯科医院
院長：大畑 愛子
〒698-0025
島根県益田市あけぼの西町１２－１
☏： 0856-23-2755

窪田歯科医院
院長：窪田 一彦
〒 417-0851
静岡県富士市富士見台六丁目３－２
☏：0545-21-8773　FAX：0545-21-8773

中山歯科医院
院長：中山 桂二
〒781-0085
高知県高知市札場１８－６
☏：088-882-0648　FAX：088-884-1177

うえむら矯正歯科
院長：上村 健太郎
〒880-0001
宮崎県宮崎市橘通西１丁目５－３０
TIPビル201
☏：0985-22-5323　FAX：0985-22-5719

著者略歴

落合邦康（おちあい くにやす）
博士（歯学）

1950 年　栃木県生まれ
1973 年　日本大学農獣医学部（現：生物資源科学部）獣医学科 卒業
1973 年　日本大学松戸歯科大学 副手（細菌学）
1975 年　日本大学松戸歯学部 助手（細菌学）
1978 年　米国 Alabama 大学 Birmingham 校　Medical Center
Research Assistant（Microbiology, Immunology）
1980 年　同　Research Instructor（Microbiology, Immunology）
1987 年　日本大学松戸歯学部 講師専任扱い（細菌学）
1994 年　同　専任講師（細菌学）
2000 年　明海大学歯学部 教授（微生物学）
2005 年　日本大学歯学部 教授（細菌学）
2015 年　日本大学退職　特任教授
2016 年　岡山大学歯学部 研究員　現在に至る

その他の経歴

千葉大学園芸学部 非常勤講師（英語）, 朝日大学歯学部 非常勤講師（口腔微生物学）, 東北大学歯学部 非常勤講師（細菌学）, 平和学院歯科衛生士専門学校　同 看護専門学校, 千葉県立看護専門学校, ウエルネス歯科衛生専門学校, 東京歯科衛生専門学校, 北原学院千葉歯科衛生専門学校

学会活動（＊現会員）

【所属した学会】
Society for Mucosal Immunology, International Association for Gnotobaiology*, International Association for Dental Research, 日本細菌学会, 日本免疫学会, 腸内細菌学会*, 日本感染症学会, 歯科基礎医学会, 日本歯周病学会*, 日本口腔衛生学会, 日本小児歯科学会, 日本口腔衛生学会, 有病者歯科医療学会, 日本障害者歯科学会, 日本老齢歯科医学会, 日本炎症・再生学会, 日本無菌生物ノートバイオロジー学会*, 日本大学歯学会, 日本大学口腔科学会

【学会役員など】
日本無菌生物ノートバイオロジー学会 常任理事*　同 評議員,
日本細菌学会 理事　同 総務部会部長　同 将来計画部会委員　同 学会誌編集委員他,
歯科基礎医学会 監事　同 評議員, 日本大学口腔科学会 理事, 日本大学歯学会 理事,
International Association for Gnotobaiology, Councillor 同 Nominating Committee Member

人は口から老い口で逝く

認知症も肺炎も口腔から

2021年2月20日　第1版第1刷発行

著　者　落合邦康

発行者　今村栄太郎

発行所　㈱日本プランニングセンター
〒271-0064　千葉県松戸市上本郷2760-2
電話 047-361-5141（代）FAX 047-361-0931
http://www.jpci.jp　e-mail：jpc@jpci.jp

印刷・製本　モリモト印刷株式会社

ISBN 978-4-86227-016-0 C0047